北京古籍叢書

[清] 麟慶 著文 [清] 汪春泉 等 繪圖

鴻雪因緣圖記

第六册

圖書在版編目（CIP）數據

鴻雪因緣圖記．第六册 /（清）麟慶著文；（清）汪春泉等繪圖．— 北京：北京出版社，2018.2
（北京古籍叢書）
ISBN 978-7-200-13576-3

Ⅰ．①鴻… Ⅱ．①麟… ②汪… Ⅲ．①古典散文—散文集—中國—清代 Ⅳ．① I264.9

中國版本圖書館 CIP 數據核字（2017）第 282809 號

項目策劃：安　東　　項目統籌：許　可
責任編輯：喬天一　許　可　　責任印製：宋　超
裝幀設計：郭　宇

北京古籍叢書
鴻雪因緣圖記
第六册
[清]麟慶 著文
[清]汪春泉 等 繪圖

出　版　北京出版集團公司
　　　　北京出版社
地　址　北京北三環中路六號
郵　編　一〇〇一二〇
網　址　www.bph.com.cn
總發行　北京出版集團公司
經　銷　新華書店
印　刷　北京京華虎彩印刷公司
開　本　八八〇毫米×一二三〇毫米　三十二
印　張　十點五
字　數　一二九千字
版　次　二〇一八年二月第一版
印　次　二〇一八年二月第一次印刷

書號　ISBN 978-7-200-13576-3
定價　98.00 圓

凝香室鴻雪因緣圖記目錄

長白麟慶見亭氏著

第三集下册

平安就日　董墓嘗桃
寶藏攀桂　卧佛遇雨
碧雲撫獅　半天御風
大覺卧遊　龍潭感聖
玉泉試茗　旃檀紀瑞
嫏嬛藏書　天壇采藥
夕照飛鐃　近光佇月

佛香瞻相　邯鄲說夢
料廠聞捷　引河搶紅
藏園話月　黃廟養痾
相國感蔭　牟工合龍
同春聽箏　庫倫奉使
衛輝觀碣　湯山坐泉
居庸挹翠　豐臺賦芍
丫髻進香　天成訪醫
雲罩登峯　靜寄瞻樓
晾甲酌泉　中盤紀石

劍臺品松　園居成趣
房山拜陵　五福祭神
退思夜讀　煥文寫像

法雲臣總圖書

平安就日

平安就日

平安園者，茶肆也。有樓三楹，在
圓明園宫門外前湖南岸。湖夾輦道，本沮洳地，乾隆二十八年濬治成湖，左右如兩扇，俗稱扇子河。其水南入菱角泡，即丹稜沜，北由進水閘入園。謹按：
圓明園，康熙四十八年建為
世宗憲皇帝在藩邸時賜居，
聖祖臨幸，賜額恭懸正殿，今大宫門額則
世宗御書也。雍正、乾隆間，因歲常駐蹕於此，始建朝房，設官署，置旗營，以布政行令，上下安之。

余回京，赴園報到後，因無公事，不敢輕叩
宮門。董錫貽齋（名文繼，漢軍人。）請遊香山，爰於七月十九邀
賀煥文、陳朗齋來南海淀閘。是日
聖駕詣
皇太后宮請安，疾馳至平安園，而頭籌已下，警蹕設幕。乃
登樓望，則見淨練浮香，遥峯入鏡，晨曦初麗，
宮樹含滋。二、三籌到，王大臣悉屏騶從，鑾導官引馬
前行，鑾儀衛校尉服只孫衣，冠黃翎肩，
乘輿先出。四籌到，茶博士急掩樓窗少遲，五籌出。惟聞
馬蹄蹀躞聲，謹從窗隙窺見

天顏日角，按轡安行，萬騎雲從，銜枚疾走，瞬息間馳道已起紅塵矣。尋下樓，聞虎嘯聲，貽齋言虎城不遠，隨邀遊西馬廠，沿湖南行，至則守者啟鑰以登，見睥睨其上，而阱其下，闌以鐵柵，冒以銅網，檻虎三，一伏、一卧、一翦尾行，見人盤旋欲躍。一日而際會風雲，眞奇緣也。

董墓嘗桃

董墓嘗桃

余性嗜果，宦遊所到，曾食肥桃、壺棗、波羅蜜、甜枳椇、新會香橙、黃巖金橘、五色楊梅、獨核枇杷、枕頭、羊角等瓜，在家最嗜公領孫葡萄、平頂香梨，桃則以董四墓、石窩為佳。顧產石窩者紅而大，不如產董墓者白而小，味甘水足。按董四墓在紅石山南麓，其地有

御桃園，向以立秋日貢鮮。癸卯立秋後三日，文六吉（名謙，滿洲人，官郎中。）招赴賀園嘗桃，爰偕二客、貽齋甥，取道大有莊松畦，密翠千株，風濤淜湃，南望

萬壽山北樓門內，五色琉璃多寶塔，輪相莊嚴，凌虛標勝。西行抵城關，仰瞻

高宗書額，東曰山館環闉，西曰湖橋列市。出關即青龍橋，為元白浮堰。上游水自香山來，東北流入

圓明園，注清河，過橋為金山口，西行即紅石山。徑造賀園，會六吉因公事未至。賀翁出迎，坐涼棚下，呼丁摘樹頭鮮飽啖之，想羣仙作蟠桃會，瑤池佳品不過爾爾。隨問董墓所在，賀翁指

御園東隅。就視之，桃林中馬鬣宛然，周壘碎石為短垣，前設甆爐。詢知董姓行四，逸其名，前明內官，退老

於此，善種桃，多靈異，以故園丁奉祀之。既而周春山、名延祥，漢軍人，官郎中。劉五園名嵩源，漢軍人，官苑副。攜六郎莊蓮花白酒名來會，並遣丁赴高水湖採蓮踏藕，食之鮮嫩，迴異常品。何是日之多口福也。

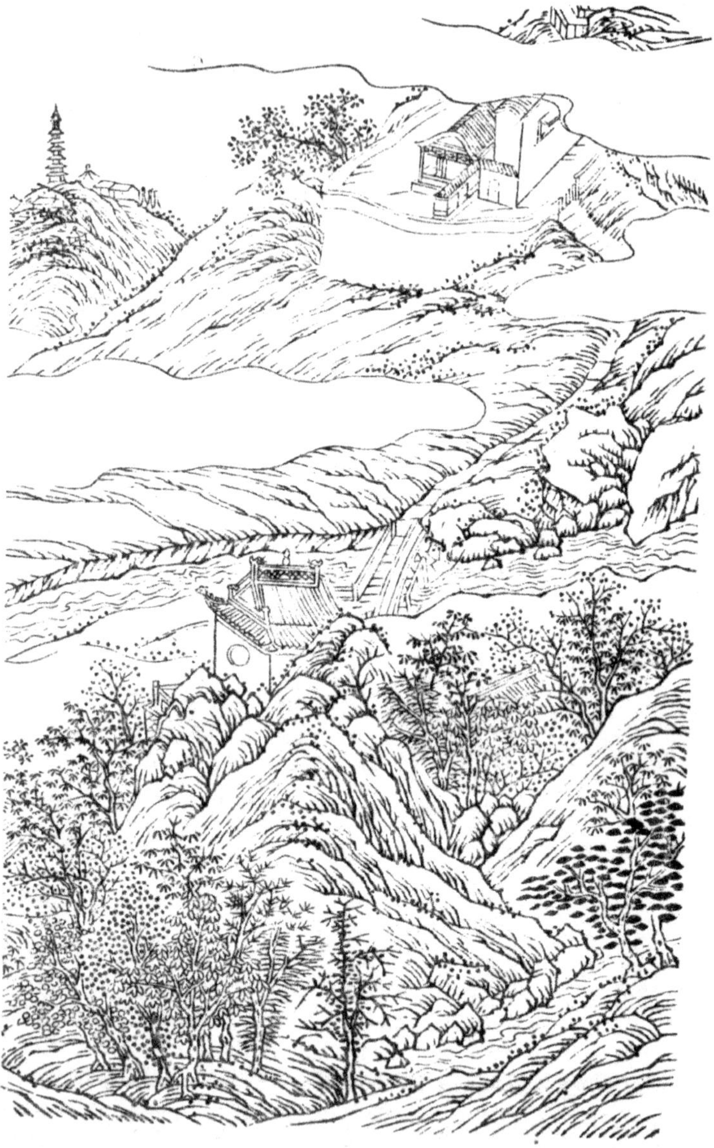

寶藏攀桂

○

寶藏攀桂

寶藏寺，在青龍橋西北，明西域僧道深建。原名蒼雪庵，正統間，賜今額。山門外有寶藏八景記碑，道深撰。寺內有泉，清澄甘潤。京師無桂，其自南來者，在他處收育，經冬必凋，惟玉華岫與此泉最宜。顧玉華岫在香山

靜宜園內，以故王侯貴戚各邸第桂樹，均存於此，寺名益著。余之在青龍橋也，遙見北峯頂露紺殿一角，輝映雲際，漸行漸近，殿角已隱，惟露南峯頂碉房廟宇。抵磨石口，見一谷甚幽邃，隨坡道盤折，驅

車入上里許，山腰有坊，額曰湖山一覽。下車迴望，
昆明湖景歷歷在目。又步上二里許，層巒疊嶂，雙
澗分流。循牆逶迤，聞木樨香，心異其早，忽見朱門，
顏曰金山寶藏寺。入門，桂盎滿庭，縱橫成列，數之
得六百餘，而無一花。上石磴為佛殿，殿右石棧，凡
五轉，棧盡為臺，臺上有觀音殿，即二十里外所見
之紺殿角也。下憩泉亭，俯玉華池。池水甘美，灌沐
清神，八景中所謂玉華灌頂，指此。出寺，登南嶺山
山神廟，有廣榭東向，時夕陽返照，玉泉之塔，
萬壽之樓，倒景涵虛，宛然蓬萊仙境。將坐以待月，會為

雲翳所遮，漏下回寺，宿清涼厂門前。一桂作花香甚。寺僧言：今早甫開，始悟牆外所聞，即此花也。夢回，天將曉，香益馥。聽蟬聲清越以長，異之。起，對花坐，仙蝶忽來。又一蟬飛集花上，隨手拾得，從者以爲蟾宫兆。僧即折桂相贈，余欣然，命送歸。問蟬名，曰綽爾齋，種出古北口外。按蒙古語胡笳也。其聲似之，俗則呼金鐘云。

卧佛遇雨

卧佛遇雨

卧佛寺在荷葉山，唐名兜率，後曰昭孝、曰洪慶、曰永安，以後殿有銅佛卧像，故俗稱卧佛。雍正間，
賜名十方普覺寺。門前有五色琉璃坊，
高宗額曰同參密藏。再前為馳道，長里許，夾以古檜百章。入道處又立綽楔，門徑宏麗，為西山諸剎冠。癸卯七月二十日，余自寶藏寺驅車出山，過四王府（地名），遥望香山，晴翠撩人。正凝睇間，忽見玉乳峯時噓雲氣，又一峯頂有物羣聚，狀若蜥蜴，映日作金色，雲漸滃起，土人指曰：此噴雲虎也。雲大雨即至矣。

既而雲頭愈濃，雨腳斜露，風送煙飛，蒼翠忽失。漸來漸近，驅車疾馳，迎面風大，健騾不前，迴車避之。風過，雨畧住，急馳入臥佛寺坊。雨甚，衣裝盡濕，比入寺，平地水深數寸，乃循廊憩方丈中。少頃雨霽，瞻臥佛，長丈六尺，範銅滲金，衮髮五彩。問創自何代，碑記未詳。攷元史至治元年，詔建西山大壽安寺，冶銅五十萬斤作佛像，或卽此耶。殿前娑羅樹二株，相傳唐貞觀刱寺時，自西域移種，葉七開，每二十餘葉相沓，捧子六稜，纍垂葉底。問：何時作花，僧答云：春夏之交，苞大如拳，每苞九朶，紅白色，子

療心疾。樹最潔，鳥不棲，蟲不生。康熙、雍正間，均荷
御製詩咏之。隨步出寺門，瞻琉璃坊，花雕藻繪，工麗絕倫。馳道砥石修平，經雨如沐，眞巨觀也。恭讀
世宗聖製碑記云：佛遊王舍衛城，謂遊有四，一行，二住，三坐，四卧。居此常寂光，中便是毘盧頂上，卧者不起妄想，豈非一佛卧遊，十方普覺歟。因名之以示來者。
聖聰天亶，妙悟非凡，眞所謂阿耨多羅三藐三菩提也。

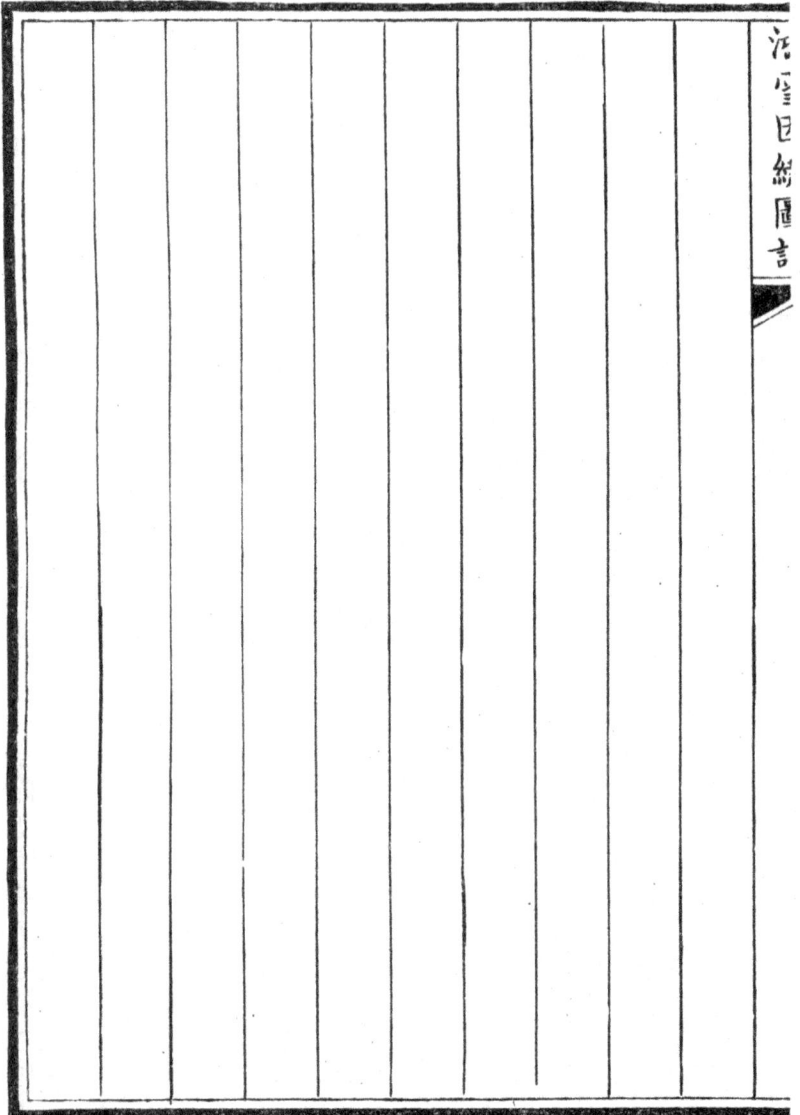

碧雲撫獅

碧雲撫獅

碧雲寺，去臥佛寺木蘭陀三里許，在香山靜宜園外垣內，遊踪難到。余宿臥佛寺夜，晨起步至木蘭陀，遥望香山諸寺，過煤廠村，見碧雲山門東向，石獅二，雄瘦露骨，雨溜為皮，黑色，雌肥見肉，皆繡為皮，綠色，腹皆純白，雕鏤工巧。撫玩久之，適遇園丁李四，將入寺掃塔，倩其導引。取道松杉中，見泉脈隨地湧現，鑿石為渠，地勢高則置於平處，地勢下則置於垣上，均覆以瓦，俾得通流。循泉聲行，自旁門入，穿羅漢堂，像五百，仿杭州淨慈寺，乃繞

正殿後，登數十級，至金剛寶座塔院前石坊，瞻
高宗御書額西方極樂世界阿彌陀佛安養道場十四字。
座凡三層，上列洞龕，頂建七塔，純用玉石，較之五
塔寶座，覺彼尚莊嚴，此眞清淨也。前六角亭二，勒
聖製金剛寶座塔碑文，乾隆十三年立。左
國書、蒙古，右漢字、梵書，四體具備。讀畢，復出山門，左
瞻布達拉塔、圓廟、方廟、金瓦、金盤，炫耀雲日。右顧
碉樓，矗立霄漢。詢知征金川時建，以演火礮者。
天威遠震，操不惜費，於茲可想。重撫雙獅，思碧雲庵，元耶
律阿勒彌建。明稅監于經拓之爲寺，後立冢域，尋

下獄死。逆璫魏忠賢重修，亦立冢域，穹碑題銜，亭殿僭制。忠賢伏誅，其黨仍私葬衣冠，我
朝康熙間，御史張瑗
奏請除之。因吟一律曰：前朝五百寺，多半出貂璫。徒有祝釐說，實為懺悔場。剷除嚴
聖代，清淨拜空王。剩得雙獅在，營墳枉自忙。

測量図編図説

半天御風

半天御風

余之宿卧佛寺也，問半天雲、水源頭、櫻桃溝、五華寺、紅黑門、退翁亭、水塔園、看花臺、煙霞窟諸名勝。僧言：櫻桃溝有大盤石，上建觀音閣，前臨方池，在行宮内。五華寺在嶺上，水源頭即在寺後。一老頭陀言：紅門即普福庵，黑門即廣慧庵，久廢。煙霞窟在水源頭，兒時記有一亭，今圮。水塔寺去嶺西二十里，有園一區，近年英中堂寓焉。嶺畔有地名看花臺，祇一古松，嶺甚峻險，俗名跌死猫，過嶺非山輿不可。惟不識半天雲所在。余商之二客，貽齋遊與俱豪，蚤起遣車馬取道赴大覺寺，而同乘肩輿尋水源頭。泉語出亂石間，如琴始張。谷口甚狹，喬木蔭之，有碣曰退谷。其東石門，隸書煙霞窟三字尚存，草沒亭基，荒寂殊甚，想見退翁（孫承澤先生字）著春明夢餘錄時情景。出谷上嶺，過五華寺，再上，見澗西古松一株，橫拖嶺半，讀斷碑知為金章宗看花臺，並知半天雲即嶺名也。登極頂，見四山皆童，下輿東望都城，鬱鬱葱葱，雙闕九門，縹緲目際，愧無研京鍊都才賦之，天風倏至，百竅盡號，山適缺一面，受風幾欲挾輿而飛，謹倚石立，閉目息聲，時虞傾墜。風過，下嶺，三里許，復值一嶺，如磨盤，每盤直下三百步，凡五十四盤，始下抵蜘蛛山。山開灰窯，巖下有潭，從者投石其中，轟然作響。西過白家灘，望城子山頂紫宸宮，紺殿凌虛如垂天半。沿溪西南行，清池曲徑，中闢一園，顏曰觀頤山墅。英煦齋師題，今還竹泉侍郎名英瑞，滿洲舉人。矣。回憶在南河時，師曾手書水塔園詩相寄，爲之愴然。

洴澼百緒圖言

大覺卧遊

大覺卧遊

大覺寺在妙峯山麓，去金山口二十里，遠視惟一山，近則山山相倚，如筍張韓。最尊者曰妙峯頂，有天仙聖母廟，香火最盛，每春秋開廟之期，朝山者不絕於路，茲寺爲必經地。按：寺本金章宗清水院故址，明建寺曰靈泉，後易今名。康熙五十九年，
世宗在潛邸時，特加修葺，命僧性音住持。乾隆十二年，
高宗重修，額彌勒殿曰圓證妙果。正殿曰無去來處，無量壽佛殿曰動靜等觀，大悲壇曰最上法門，右置精舍曰憩雲軒，前爲七堂，左設香積廚，壇後有塔，塔

後有塘，塘後有樓。垣外雙泉，穴牆址入，環樓左右，匯於塘，沈碧泠然，於牣魚躍。其高者東泉，經蔬圃入香積廚而下，西泉經領要亭，因山勢三疊作飛瀑，隨風鏘墮，由憩雲軒雙渠繞霤而下，同會寺門前方池中。上駕石梁，七月二十二日，余入寺經之。聞池蓮右白左紅，僧言本年因修池未開。瞻七堂中立寶龕，左右各設氈榻，每榻卧百人，蓋堂深二十丈，與戒壇均天下無雙云。北過憩雲軒，僧化成具蒲饌、豆粥，飯罷，挹泉煮茗。旋賀煥文拄杖尋僧，陳朗齋倚欄作畫，貽齋因事辭歸，余乃拂竹床設籐枕，卧聽泉聲，淙淙琤琤，愈喧愈寂，夢遊華胥，儵然世外。少醒，覺蟬噪逾靜，鳥鳴亦幽，輾轉間又入黑甜鄉。夢回啜香茗，思十餘年來，值伏、秋汛，每聞水聲，心怦怦動，安得如今日聽水酣卧耶。寺名大覺，吾覺矣。

龍潭感聖

龍潭感聖

黑龍潭，在大覺寺東十五里，泰州務畫眉山上，前明有祠，祈雨輒應。康熙二十年，

聖祖特加修葺。雍正三年，重新殿宇，立碑二。乾隆三年，

勅封昭靈沛澤龍王之神，並易殿宇以黄瓦，典禮有加，靈應昭著。祠左山下有潭，廣十畝，深三尺許，水極清，見石底苔痕斑駁，紅綠相間。上蔭古樹，周以畫廊。其發源處，兩巖夾峙，蘿薜葳蕤，天然石渠，有翠藤纏繞，枯樹横卧渠口，若門楣然。潭水雨不泛，旱不涸。水足則從東垣下瀉，潺潺有聲，遠近水田灌溉，

邨民汲飲，咸資於此，利益甚宏。癸卯七月，余詣祠行禮畢，過潭俯視，湛徹空明。僧言：此中無一遊鱗，有鰕藏荇藻間，龍出則鰕先排列，有

高宗御碑可證，特終年罕遇爾。余至渠口，適見鰕躍泉出石罅，細脈幽涓，圓珠濺泡。忽一魚來，長二寸，純黑色，依石游泳，余呼二客及從者視之，均不見，乃起巡廊行，出筆硯，倩朗齋作藁，默祝：

龍神有靈，當現像以實余言，生衆信心。忽有魚在潭中，負荇帶，遊客及從者皆見。余下至潭邊，拜請近觀。魚直立水中，昂頭波上，洋洋來到即住，長八寸，

頭有雙角，左稍巨，鱗爲金色。客及從者，咸肅然叩拜，僧賀福緣。謹紀以詩曰：丹垣金殿勢崢嶸，

帝爲民祈屢致誠。

聖澤如天原廣潤，臣心似水本澄清。一峯黛染誇眉畫，十畝潭空儼鏡平。頭角昂藏瞻化像，有緣同傍曲廊行。

玉泉試茗

玉泉試茗

玉泉山，沙痕石隙，隨地皆泉。山陽有穴，其泉涌出若沸，高三尺許。燕山八景舊稱玉泉垂虹。

高宗以垂虹擬瀑泉則可，玉泉從山根仰出，噴薄如珠，實與趵突義合，因更正曰玉泉趵突。今在

靜明園內，為十六景之一。謹按：園建於康熙年間，本金章宗芙蓉殿址而拓成之，曰廓然大公，曰芙蓉晴照，曰竹爐山房，曰采香雲徑，曰聖因綜繪，曰繡壁詩態，曰清涼禪窟，曰溪田課耕，曰峽雪琴音，曰玉峯塔影，曰裂帛湖光，曰風篁清聽，曰雲外鐘聲，

曰鏡影涵虛、曰翠雲嘉蔭，合趵突為十六。前高水湖，後裂帛湖，二水俱東匯昆明，

宮門五楹，東向。高水湖心有樓曰影湖。小東門外有堤，亘昆明湖中，石橋通水，上建坊二，迤東為界湖樓。七月二十四日，余偕二客過金山口青龍橋，沿石道至高水湖，水澄以鮮，漾沙金色，荷花香豔異常，鵁鶄、鵜鶘低飛，遠立稻田彌望，儼是江南水鄉。乃坐柳陰，汲玉泉，設不灰木爐，煨榾柮，煎陽羨松蘿，試之，甘冽清醇，為諸泉冠。伏讀

高宗御製記，有云：水味貴甘，水質貴輕。曾製銀斗較量，玉

泉之水每斗一兩。塞上伊遜相同，濟南珍珠泉較重二釐，揚子金山重三釐，惠山虎跑重四釐，平山重六釐，清涼、白沙、虎邱、碧雲各重一分，惟雪水較輕三釐。顧雪水不恒得，則凡出山下者，無過玉泉。昔陸羽、劉伯芻或以廬山谷簾為第一，或以揚子江為第一，惠山為第二，雖享帚之論，然以輕重較之，尚非臆說，惜其未至京師云。

聖論昭垂，天下第一，泉幸矣，品泉者更大幸矣。

瀘雪醫彀圖註

旃檀紀瑞

旃檀紀瑞

宏仁寺俗稱旃檀，在
皇城内，有
聖祖御製旃檀佛西來歷代傳祀記碑，并
仁宗御製重修碑文。門前樹坊二，東廣恩敷化，西普度能仁。入寺，石甃方池，上跨三梁。西作龍首，引太液水灌注之。池北為天王殿、鐘鼓樓，再進，慈仁殿，又進，舍利塔，大寶殿後雲蔭樓。旃檀佛像供慈仁殿内，高五尺，鵠立上視，左手舒而直，右手舒而垂，肘掌皆微弓，指微張而膚合，三十二相中鷲王掌也，輕

如髮漆，色近沈碧，明萬歷李太后始敷以金。恭讀
聖製傳祀記，有云：朕聞佛法誘善懲惡，有裨世教，歷代尊
崇，靈蹟甚著。元程鉅夫旃檀記：佛道成思報母恩，遂昇
忉利天說法，優塡王欲見無由，刻旃檀爲像，佛復下見
像，摩頂受記曰：我滅度千年後，汝往震旦，廣利人天。自
是像在西土一千二百八十餘年，龜茲六十八年，凉州
十四年，長安十七年，江南一百七十三年，淮南三百六
十七年，復至江南二十一年，汴京一百七十六年，燕京
十二年，北至上京二十年，南還燕宮五十四年，元初還
聖安寺五十九年，仁智殿二十六年，遷萬安寺。明釋紹

乾瑞像來儀記：明初自萬安遷鷲峯寺一百二十八年。康熙四年，自鷲峯迎供至今五十七年，記自優塡王造像之歲，當周穆王十二年辛卯，至康熙六十年辛丑，凡二千七百一十餘年，流傳中土，今古常存等語。仰見

聖祖體仁宣化現身説法，而瑞像因緣亦傳信萬世矣。寺西有天慶宮，原名元都勝境，建於元，俗稱劉蘭塑。考元史，正奉大夫劉元，寶坻人，嘗從阿爾尼格學梵相。惟周篔析津日記謂，此像塑自劉鑾，别是一人，總之作蘭者誤。左殿塑三元對簿像，儀容嚴肅，右殿塑天師降妖像，神情赫奕，允稱絶藝。再朝陽

門外

東嶽廟像，亦劉元塑，有虞集學古錄可證。

嫏嬛藏書

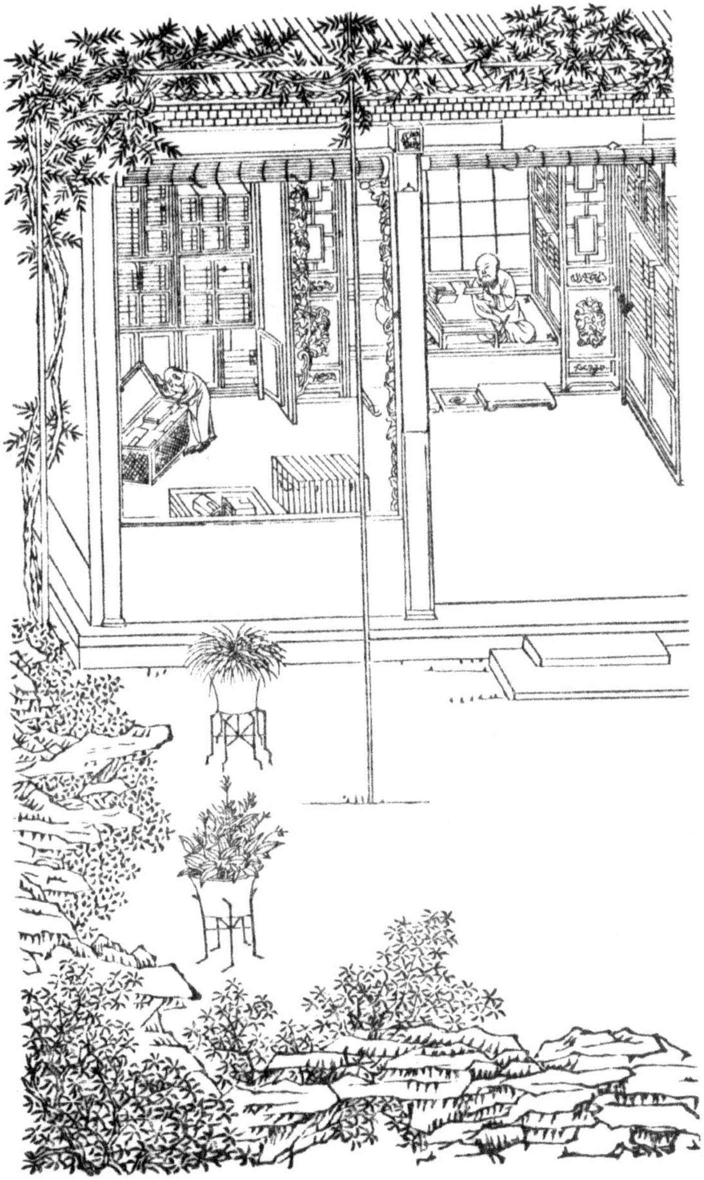

嫏嬛藏書

半畝園最後，壘石為山，頂建小亭，其南橫板作橋，下通人行，西仿嫏嬛山勢，開石洞二，後軒三楹，頗爽塏，顏之曰嫏嬛妙境，倩湯雨生都督（名貽汾，江蘇，世職，官總兵。）篆，而自集句為楹帖曰：萬卷藏書宜子弟，（黃山谷詩）一家終日在樓臺。（元微之詩）癸卯閏七月，煩暑既除，乃率兩兒理青箱，啟行篋，檢書列架其中，

賜書為初印佩文韻府，康熙間，

五世祖存齋公官

武英殿時，監刻書成，得賞家藏則宋謝疊山先生所

選文章軌範。天聰年間，始祖達公略地山東時攜歸者，後載存齋公手記。麟慶謹跋其末，函以香楠。餘則經以宋版詩、書、易為最，煦齋師贈史以元版文獻通考為優，文雨畦給諫（名丕，滿洲，諸生。）贈子以舊本文中、鶡冠二卷為古，李書仙布衣（名廣愛，江蘇人，業書賈。）贈集以萬花樓所刻文選為工，查生青華（名人漋，浙江人，官知縣。）贈逸書有日本國十三種，程小葵（名洪溥，安徽商籍職員。）贈。統計八萬五千餘卷，薈萃六七世之收藏，數十年所貽贈而後得此，亦云富有。階前植書帶草、鐵樹、紅蕉，俱文品，喜示兩兒詩曰：嫏嬛古福地，夢到惟張華藏書千萬卷，便是神仙家。牙籤而金軸，鄴架輝雲霞。守戶以二犬，石洞相周遮。今我欲效之，毋乃願太奢。小園營半畝，古帙積五車。坐擁欣自娛，種竹還栽花。遺金戒滿籯，習俗祛浮華。區區抱經心，慎守休矜誇。

測量法義匯言

天壇采藥

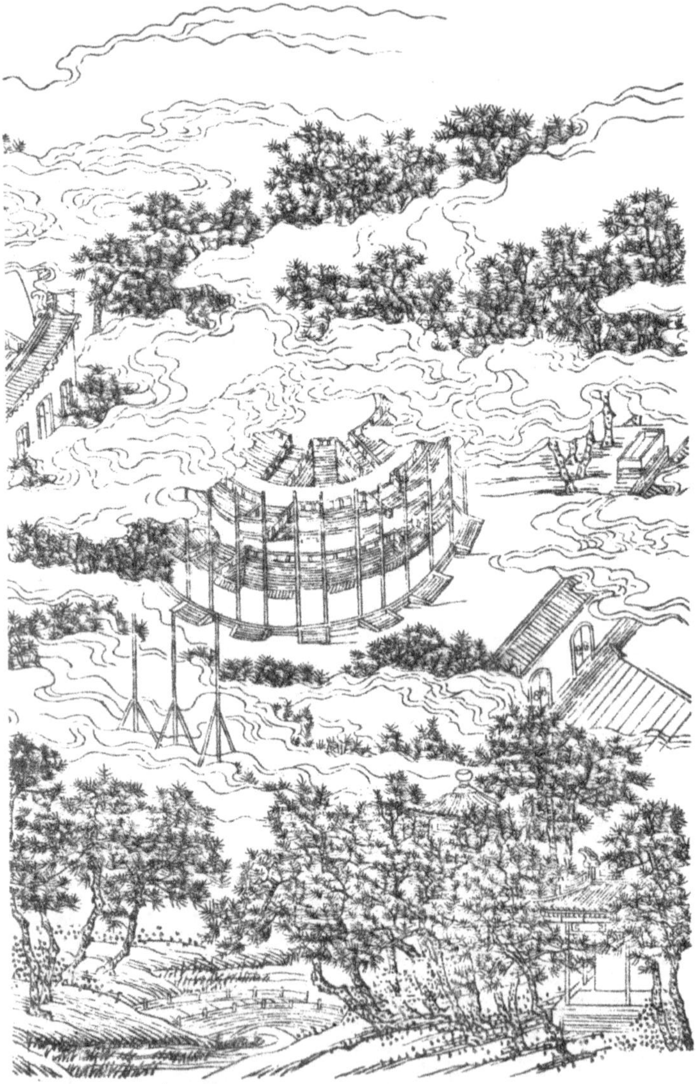

天壇采藥

天壇在正陽門外之左，繚以長垣，周九里十三步。

圜丘在壇中，形圓，象天，南嚮，三成。上成石面九重，自一九環甃，遞加至三成，得二百四十有三，合一三五七九陽數。每成四出陛，皆九級。上成石闌七十有二，二成百有八，三成百八十，合三百六十，周天之度。柱如之。內壝形亦圓，門四，皆六柱三門，柱及楣闌均用玉石，扉用朱櫺。壝外丙地燔柴鑪一，甃以綠琉璃。瘞坎一，東南燎鑪五，西南燈杆三。外壝形方，門制與內壝同。壝北爲皇穹宇，環轉八柱，圜檐上安金頂。基高九尺，徑五丈九尺九寸，石闌四十九陛，各十四級。殿及左右廡瓦均元色琉璃。垣門四，朱扉金釘，縱橫各九。北門外為

祈年殿，殿在壇上，制俱圓。壇南嚮，三成，面甃金甎，圍以石闌。陛各九級，三成十級，殿柱內外各十有二，中龍井柱四，檐三重，上安金頂，瓦均元色琉璃。前為

祈年門，崇基石闌，前後三出陛。後為

皇乾殿，瓦覆元色琉璃，南面三出陛，東西一出陛。

齋宮在東南，正殿東嚮，前設齋戒銅人石亭。牆內東北隅設鐘樓，懸太和鐘。外牆環以迴廊一百六十

三楹，繞以深池，駕石梁三，均乾隆年間繕治。壇内樹木森蔚，藥草苾芬，所産益母最良。肅禁時，
高宗特准神樂觀官生開藥肆十六，以利施濟。年例秋後入壇采刈。癸卯，届期，賀煥文因龔、劉二生招余同行，二生司樂舞，俗稱金童，恭紀以詩曰：肅穆
圜丘下，翻因采藥來。綠陰濃苑樹，元氣麗壇臺。寶地尋芝术，金童闢草萊。
先皇隆盻蠁，曾許侍班陪。余官翰林時，曾陪祀侍班，故云。

夕照飛鐃

夕照飛鏡

夕照寺在廣渠門內，建置年月無考，惟趙吉士育嬰堂記云：順治初僅存屋一楹，則其來久矣。後有僧杲堂善飛鏡，著名於時。寺西即南金臺，有
御碑。西南彌陀法藏寺塔，凡七級，高十丈許，中空，可登，牕開八面，面置佛燈，燃時金光璀璨，照耀天上。塔為明沙門道孚建，道孚即飛鉢禪師也。東南萬柳堂，為馮文毅公（名溥，山東進士，官大學士。）別業，葢慕元廉希憲而效之者。廉公堂在右安門外草橋，曾邀趙孟頫、盧疎齋賦詩命歌者，奏驟雨打新荷之曲。文毅亦

於康熙初集諸鴻博於此，以毛大可（名奇齡，浙江，廩監生，授檢討。）賦為壓卷。花嶼蓮塘，流風可想。後堂歸石文桂侍郎，聖祖臨幸，賜御書額曰廉儉。聯曰：隔岸數間斗室，臨河一葉扁舟。石氏建樓供奉。尋捨宅為寺，又賜額曰拈花禪寺，後廢。嘉慶間，阮雲臺先生（時以巡撫謫編修）重修，朱野雲布衣種柳五百株，集諸名士賦詩，凡四十餘人，（內有同年十一）余亦在座。分韻得愁字，詩曰：堂空人去落花愁，幸有中丞著意修。臺榭盡栽新草木，光陰全換舊春秋。佇看濃翠生千樹，且聚遙青入一樓。試問呢喃雙燕子，依稀王謝舊時不。癸卯秋重來，忽忽三十三年矣。柳枯堂圮，祇存瞽僧，法塔久不燃燈，荒寂殊甚。惟夕照寺尚完整，是日在山門演飛鐃經，妙音法曲，恍若步虛。執事僧均披織龍袈裟，持鐃者飛舞盤旋，能傳師教，尚不至作廣陵散。考鐃，禮樂記：始奏以文，復亂以武。註：文謂鼓，武謂鐃也。樂府鐃歌，軍中鼓吹曲，唐司馬承禎製。元眞道曲、大羅天曲，用鐃鈸。博古圖漢有舞鐃，其此經所由仿歟。

浙雪臣繪圖訶

近光伫月

近光佇月

近光閣在平臺上，爲半畝園最高處，以其可望紫禁城大内門樓、瓊島白塔、景山
壽皇殿，並中峯頂萬春、觀妙、輯芳、周賞、富覽等五亭，故名。爰集唐人句爲楹帖曰：萬井樓臺疑繡畫，五雲宮闕見蓬萊。臺廣丈有咫，長倍之。南有松，生石洞上，傳係笠翁手植。其西石磴三折，即來路。下磴，東有亭曰留客處。過亭爲小橋，北即石洞。入洞再轉，爲退思齋，自撰楹帖曰：隨遇而安，好領略半盞新茶，一爐宿火；會心不遠，最難忘別來舊雨，經過名山。

對齋為偃月門，院有海棠二，西軒為海棠吟社，自書飛白楹帖曰：逸興遄飛，任他風風雨雨；春光如許，招來燕燕鶯鶯。東出為曝畫廊，廊及退思齋頂卽平臺也。臺上宜於清曉夕陽，而尤宜於月閒。七月十五日，長女妙蓮保歸省，子媳謹具杯酌，余命置平臺上，率兒女同登，既撤，小坐玩月。姬人洪友蘭遣小婢抱雙琴來，同橫甎上，長女偕洪姬撫漁樵問答。次女佛芸保年十二，鼓良宵引。洪姬又譜梧葉舞秋風，絃甫停，忽鄰家放鴿，盤旋起舞，其中有無鶴秀、腋蜨，不可知，而風韻尾鈴，清揚殊響，松

鼠忽驚，竄落石上，投以果，拱而食，俱饒別趣。延佇
既久，風露增寒，
宮闕參差，若隱若現，詩以紀之曰：中秋未到又盂蘭，
喜向平臺得大歡。隨分杯盤真趣味，相攜兒女共
團圞。微雲華月松陰露，流水高山石上彈。試向隔
牆瞻
紫禁，瓊樓玉宇不勝寒。

洌雪駢綺圖書

佛香瞻相

佛香瞻相

癸卯閏七月十九日，奉
旨：麟慶著發往東河，交廖鴻荃、鍾祥差遣委用。欽此。緣河南中河廳中牟下汛八堡，黃河異漲，六月二十七日，奪溜南趨，致成漫口。督撫以
聞，遣尚書敬徵、侍郎何汝霖馳查。口門寬三百六十丈，
上又遣尚書廖鴻荃、河督鍾祥督工，因有是
命。麟慶隨赴内務府呈請奏謝，適值
聖駕出宮，請
皇太后安，謹泥首道旁。回思在平安園樓上瞻望，僅逾月

耳。當於八月朔出都，初八宿正定，聞大菩薩名，相傳唐鄂國公尉遲敬德鑄，便道一觀。始知寺係隋鄂國公王孝齡修，原名龍藏，宋改龍興，我
朝康熙間易龍為隆。菩薩像，唐僧自覺範銅為之，高僅七尺三寸，周顯德中毀以鑄錢，內銘八字曰：遇顯而解，逢宋即興。宋開寶二年，藝祖駐兵滹沱，召僧可儔，命重鑄相建寺。尋龍井湧銅，迺鑄為菩薩，作大夫相，高七丈三尺。後寺圮，豫親王奉
敕修復。閣寬十三丈六尺，高十三丈五尺，凡三層，上下二百七十九間。一層繪四十八願，二層塑東西懸山。

聖祖賜額曰佛香。並挂沈香朝珠一於佛項。長二丈，每粒方圓五寸。閣左慈氏閣右轉輪藏。前黃亭戒臺，再前牟尼殿，有隋時塑猊，修不設色。再前為六祖殿，為山門。門外石橋，綠琉璃坊，乾隆初

高宗西巡，額曰調御丈夫。今湯銅井在東北，鄂國王公祠在西南。余登閣，見滹沱東注，恒山西橫，因紀以詩曰：佛香高閣起巍峩，便道登臨且嘯歌。朔氣凝陰橫北嶽，秋風激浪走滹沱。書生志為酬

恩切，藝祖情因鑄佛多。留得金身長七丈，莫教浩劫再消磨。曉渡滹沱而南，舟中回顧，猶仰瞻菩薩面焉。

庚辛玉牒圖書

邯鄲說夢

邯鄲說夢

邯鄲縣在直隸南境，城上東北隅有叢臺，趙武靈王築。城北學步橋，故實出莊子，下通滏水，元太史令郭守敬鑿。西有紫山，馬服君趙奢冢在焉。旁建雙塔，元太保劉秉忠隱居處。上有王喬洞，洞前亭額曰西來紫氣遥對

呂祖祠。祠在縣北二十里黃粱店。余之渡滹沱河也，以八月八日宿欒城，訪武子祠。九日，尖趙州，問柏林寺，觀唐吳道子畫水，雖墨蹟已就模糊，而文水漣漪，武水洶湧，神韻猶存，近爲雨溜所傷，再來者

恐不得問矣。午行，見路旁千秋勝蹟碑，詢為漢光武夜走柏鄉斬石人處。入廟，覩被斬石人橫臥地上，刀痕宛然。十日，過內邱南圓津庵，坐延綠亭，讀宋牧仲、梁蕉林諸先生題壁詩。十一日，尖臨洺關，午抵黃粱店，謁

純陽帝君祠，明嘉靖間建，額曰風雷隆一仙宮。前殿祀正陽子，示有所授受。後殿為盧生臥像。夢載唐李鄴侯枕中記，稱開元七年事。按記內所載，侈土功，鑿河渠，利賴一時，即太史令之疏滏灌田也。擁節鉞，摧強敵，拓地千里，即馬服君、劉太保之運籌

用兵也。其崇盛赫奕，後宮聲色備極綺麗，則又武靈王天橋雪洞之奉也。顧盧生一夢即覺，世人終夢無覺，盧生雖夢亦覺，世人雖覺亦夢爾。爰題二絶句曰：十年不走邯鄲道，今日重來問古祠。欲喚盧生談夢境，箇中滋味我曾知。其一 盧生欹枕笑相答，子又緣何入夢來。祇為

君恩酬不得，故教壯志未全灰。其二

料廠聞捷

料廠閒捷

癸卯八月，余抵河南工次。尋准廖鈺夫尚書傳示寄諭：據奏，九月初一日開廠買料，麟慶業已到工，著即飭令督率廠員，認眞經理，倘有抑勒料戶，短給價值或料物不堪應用等弊，即著請參重懲。等因，欽此。麟慶遵即移駐中河東張堤上。查正料業經敬達齋協揆等奏估一萬一千餘垛，派員分壩挑濠插廠。先是，御史某奏言：前年祥工料派各州縣協濟，或按畝科斂，或擇戶捐攤，或封禁民柴，或勒派車輛，幾滋擾成事等語。得旨：交廖鴻荃等會議，以採買為正。隨同鄂雲浦中丞（名順安，滿洲生員。）復定麟慶查大工，以稭料為正宗，歷屆或全派州縣，或酌飭協濟，從未盡向民間採買。今遵恩諭，下恤民隱，特慮鄉愚觀望，工棍把持，奸販居奇，書差索費，或致遲誤，爰囑廠員設法招徠，嚴查包攬，料既隨到隨收，價則不折不扣。東廠於十月先完，西廠於十一月報竣，幸未誤工。當開廠之初，時往巡視。九月十六早過西廠，又渡河而東，甫登陸，得泥金捷報，知長子崇實中順天榜二百四名舉人，喜成二律寄之，曰：奉使從公急，河干常曉行。也曾知揭曉，不暇問成名。忽爾傳鴻信，居然宴鹿鳴。書香欣克繼，榮勝到公卿。其一 憶昔登科日，於今卅六年。迂疎辭宦海，厚實養心田。兩兒命名取此 課記慈親督，經原

祖母傳。來科輝棣萼，嘉汝策先鞭。其二 是科門下士同領鄉薦者蒲毓江、江蘇，優貢。王壽彭、順天，監生。唐沂、江蘇，稟貢。鄧玉峯、貴州，拔貢。馮元棟、江蘇，稟生。汪鶴齡，江蘇，稟生。凡六人。

引河搶紅

引河搶紅

搶紅者何，凡挑河、安塘、插鍬，做工至五六分時，工員挂紅懸賞，夫役以錢布酒肉，兵加靴帽，先完者得。逮九成時，眾夫亦張紅繖，設響燈（綴鈴，紅紙燈也。）謝神，即以繖書眾人名回呈。雖俗例相沿，意在要賞，而較之先誘工員以貼坡墊崖，繼即挾以停工爭價者，相去則天淵矣。中牟大工，引河先經委勘劃段，嗣又估添，共計一百四十有八，溝工八十有四，除留引河頭七十餘丈搶挑外，計共長三萬一千九百五十七丈，委莊琪園觀察、（名瑤，山東，進士。）俞雲史太守名焜，浙江，進士。等總理其事，擇吉九月初八日興工。尋奉寄諭：引河事宜，著麟慶會同巡查。等因，欽此。遵即周歷復勘，確係河裏挑河，因勢利導。隨飭總催官，按段插大小旗，簽釘信樁口橛。飭分催官，嚴督工員，搶挑子河得底，預防陰雨，並開馬路以出土，挖龍溝以治水。平處用水車，高崖用戽斗，選淤土盤做水盆，逐層安至河底，多備牛皮、席片、柳橛、軟草等物，藉防滲漏。顧土頭不一，淤有嫩、乾、稀、夾之別，沙有飛、泡、鐵板、馬牙之辨，挑辦尚易。惟澥淤性軟，翻沙性散，油泥性滑，必須查照成式，疊堰格塘，鋪板搭架，甚且鬃套枕、打井子，設法抽撈，遇泉則或覆以鍋，或罩以桶，加土封培，俟得底除去，總期如限蕆工。幸官弁踴躍，冬日多晴，惟十月杪間有風雪。余往巡，適值搶紅，爰紀以詩曰：櫛風沐雨鎮匆匆，雪後欣聞說搶紅。那許聲多如蟻聚，子來情切正鳩工。遥瞻華蓋全朝北，欲挽狂瀾盡向東。持節十年今奉使，疎防深愧對哀鴻。

濂雪臣經圖言

藏園話月

藏園話月

藏園在河南省城北門街宋宅，宋開封巨室，明初卜居，歷有年所。園中前後軒十楹，額曰彝頂草堂。蓋以北門為魏侯嬴所守夷門，彝山應在其下也。軒前有池，跨以石梁，旁列亭二，清水一泓，懷煙受月。軒後疊石為山，雖非艮嶽所遺，如臯署之嶽生，府署之棲鸞、繡雲等峯，而亦有致。其西平臺，登之見龍亭、鐵塔。東有內室二所，主人宋敬齋（名佩紘）時官淮南，弟佩經、佩縉，俱（官知縣）子毓瑛，（生員）均在籍。余以舊交，假一所以安眷屬，而自駐工次。時河南鄉試，以漫口改期十月。適惲薇卿外弟名光宸者，恭膺簡命，充正考官。初，道光乙酉，余任開歸道時，薇卿昆季自江南負笈來學，讀書官署，欲習幕務。

先太夫人謂薇姪有翰苑才，不可入有司衙門，宜就學幕以成大器。麟慶謹遵，薦襄學使，尋聘主粵東、崇實二書院。壬辰舉於鄉，戊戌成進士。茲以編修典試。考外家姓本榜花，系出熊楚。自明以來，科甲鼎盛，而翰林則自薇卿始。此外多以畫名於時，如南田、諱格香山、諱向鐵簫、諱源濬清於女史諱冰為最著。

外王父芝堂公，亦以折枝牡丹選入畫苑得官。

先太夫人畫，實私淑南田翁，清於祖姑者也。十一月十五日，余查引河，過黑堌，聞已揭曉，入城相訪，未遇。晚寓藏園，薇卿來，即邀小酌，相與遙溯昔時，已閱十有八載，恨

先太夫人不得見，相對悲感。久之，而月影當頭，宛似官齋舊況，因即席賦贈曰：照君還照我，明月又當頭。際遇誇龍虎，風塵走馬牛。百年杯在手，廿載事如流。更喜諸昆季，同時集汴州。時薇卿兄保以南河主簿，調赴大工，弟傳亦奉差來豫云。

黃廟養疴

黄廟養痾

癸卯冬十月，麟梅谷尚書（名魁，滿洲，傅臚。）奉
命來工會辦。甲辰春正月，引河搶完，驗收後，二月初啟放暢順，距東壩走埽五占，功敗垂成，爰請停緩。余幸以引河無誤，得免吏議。尋有
旨：麟慶著留工，交鍾祥、鄂順安差遣委用。欽此。隨移寓黄大王廟。廟在省城宋門街，乾隆間建。道光庚寅，吾母惲太夫人捐資重修，僧悟鏡（法名正參）勒碑紀事，因奉
先君曙墀公及
太夫人神主附祀，並以餘資修後舍七楹。旁有門，西

望相國寺殿閣，輝映咫尺。五月，余忽患手足不仁，秘結，幾殆，得熊達川（名傳萬，江西人，時官醫學正科。）升麻、大黃一帖即下，而麻木如故。延醫診治，多論禁忌。余因憶高服清先生（名珮珩，順天歲貢。子毓崑，戊辰同榜舉人。）之言曰：醫者意也，晉酸、黔辣，嗜味隨地各殊，營利熱中，性情因人而異，正不必在口腹上專講禁治。適陳勉齋刺史（名步賢，貴州舉人。）過此來看，謂症名非風，不尚禁口，與高論合。徧閱諸方，以葛獻南（名繩宇，浙江，職員。）藥主桂、附，為是。余疑時令不宜，禱于

呂祖，得木耳五錢，重籤，曾張曉瞻同年（名日晸，貴州進士，時官布

（政使）來，解曰：木即桂，耳即附也。乃決，遂服葛生藥，並用劉醫（名應時，湖北人。）按摩之術，趙升（名國敬，河南人，官分防。）針洗之方。尋大兌崇實自京馳省，祥友亭（名誠，滿洲人。）李益山（名緯遴，四川，武舉。）均隔省乞假來。門生故吏之在豫者，頻相探問。陳思泉庫官（名玉清，江蘇人。）尤無暇日。僧亦引賽會人消悶，見土豹文眞疊錢，蟵虎形同刻玉，蝟大如五石瓠，刺長尺餘，簌簌有聲，矮人長僅如刺，能舞連枷棍，詢姓劉，籍內黃，年二十六。

相國咸蔭

相國感蔭

相國寺在黃廟西，祇園在寺西，放生堂在園後，

先大母索綽羅太夫人重修放生池在藏經閣後，

先母惲太夫人重濬。甲辰四月十四日，距

先母在省寓棄養之辰，星紀一周。敬詣相國寺智海禪院，齋懺三日，藉申孺慕。遂詣池觀魚，詣堂觀

先大母乾隆壬子所放花猪，口生獠牙二，長尺餘，蓋已五十三年矣。病後久未至寺，九月十九，重臨池上，買魚放生，時已閱順天題名錄，知次子崇厚失望。忽鄂雲浦中丞遣使來賀，中副榜三十四名。因

憶道光丙戌，崇厚生於開歸道署，正吾
母修池之時，慈詹有徵。因紀以詩，並即寄勗曰：奉使
中邦地，匆匆閱載餘。客秋飛一鶚，大兒於癸卯領鄉薦。此日
望雙魚。賀竟來蘧使，人皆惜副車。余心已知足，直
擬列賢書。其一 憶汝初生日，于今十九年。蔭原承素
德，業許守青氊。好繼兄名起，須知父志專。丙科欣
在邇，勉策祖生鞭。其二 再考相國寺，創於北齊天保
六年，名建國，唐改相國，宋曰靜因，至道二年，仍賜
額大相國寺。明改崇法，尋沒於水。我
朝順治間重建，稱古相國寺。乾隆時，

賜大殿額曰古汴名藍。中圓殿奉千手千眼佛，五百應眞，莊嚴奇麗。後毘盧閣上貯藏經全部，並塑相公、相婆像，葢沿西遊記所載，而志乘無考。山門外建坊三，中：勅建相國寺，左：中邦福地，右：梁苑香林。雖屢經水刼，而壯麗如故。又是科登副榜者有蔣道模月川觀察名明遠，漢軍，舉人。之子，崇厚婦兄也。

牟工合龍

牟工合龍

中牟大工停緩之後，過伏汛，復議興舉，得

旨，責成鍾祥、鄂順安督辦。隨估工費四百五十萬兩，又因撥解需時，請借內庫銀百萬。荷蒙

恩允。當於九月設局，議仍在原處接築大壩，引河內重加挑深，並於大壩下添築二壩，引河上移，建新挑水壩，仍修舊挑壩，以資擊溜。又於上游河身坐灣處所，添挑小引溝一道，以備宣洩。十月開工，

奏委余同前帥慧秋谷（名成）稽查兩壩工料，總理錢糧。

遵即力疾駐工，督催進占。臘月十八日啟放引河

後，西壩門占先成。廿三日，東壩門占亦出捆廂船，敬祭河神，并投五色粽以禳浮尼，狀如綠毛鷺，上年屢見，每見必墊埽，禳法載在子不語。懸九蓮燈而度幽厲。俗稱肉橇，即歷次大工落埽沒水者。是夜火燭星輝，畚臿雲舉。廿四日寅刻挂纜，排繩釘橛，細挽活留，點土廂柴，酌分輕重。比兜子貼水，鳴鑼喝號，指揮兩壩兵夫，齊心力作，層土層稭，一氣追壓到底。詎廿五夜，西壩連占陡蟄，高出水面三丈者，竟與水平。緣底係去歲金門之故，趕又搶加五晝夜始定。三十日關埽告成，金門斷流，全黃歸故。

馳報合龍，聲明節省銀百萬，仍解還內庫。得旨獎擢有差。時勤斯役者，如馮松峯總鎮（名萬青，雲南，武進士）、龔衍庭觀察（名慶祥，江蘇，監生）、丁午亭（名暐，浙江，監生）、龔雲疇（名瑞穀，福建，貢生）、張林西（名昀，直隸，舉人）、德暢亭（名鈞，滿洲，舉人）、邢小莊（名春第，直隸，貢生）五司馬，丁雨林刺史（名作霖，江蘇，監生）、孫一亭（名煜，陝西，監生，以歿於工次，贈知府銜）、鄒松友（名堯廷，湖北，進士）兩別駕，許菊士（名賡謨，福建，拔貢）、程蓉屏（名廷鏡，安徽，生員）、周宣史（名昺濩，四川，舉人）、馬振儒（名文鐸，漢軍，謄錄）四大令，皆故吏門生也。

瀏雪巵緣圖詞

同春聽箏

同春聽箏

乙巳正月，接准部文，奉
上諭：中牟大工合龍，慧成等在工差委，各著勤勞，慧成以員外郎用，麟慶以四品京堂用，牛鑑賞七品頂帶。麟慶俟善後工竣，再行來京。等因，欽此。遵即具摺謝
恩。時鄂雲浦中丞偕牛鏡塘（名鑑，甘肅，進士，前兩江總督，時在大工差委。）勸捐，得錢一百二十餘萬串。尋鍾雲亭河帥督同王子仁觀察（名壽昌，江蘇，廕生，今晉按察使。）勘定，加鑲各壩，拋護碎石，跟澆土戧，補還缺口，挑切引溝，幫培長堤，善後等工，共估銀四十九萬餘兩。二月暫回省寓，中丞

率司道設宴於宋門同春公所，邀余及慧秋、谷、牛鏡塘劇飲盡歡。翌辰，門下門生羅鴻生（名均亨，江蘇，監生。）等十七人，專席觴余，談及絲竹各樂，惟未聞箏與箜篌。客言有黃生者善彈，往召，則已赴關中。知程童能傳其技，苦無具。越日，趙弁（名國敬）忽假箏來，乃於花朝月夕，再赴同春園。園內有池，砌石駕舫，命三童登舫，一擫箏，一撥琵琶，一鼓銅琴，合奏萬里封侯、狀元及第、美女思春、平沙落雁等曲，倚欄靜聽，頗有會心。攷箏一名頌瑟，秦蒙恬造，身長六尺，應律數，柱高三寸，應三才，絃十三，應閏月。（今有十五絃者）

彈用鹿角為爪，謂之繫爪，又曰義甲。所以杜詩云銀甲，彈箏用也。琵琶亦興於秦，胡中馬上所鼓，推手前曰琵，引手却曰琶，四柱四絃，取象四時。初用鐵撥，後易象牙。唐裴洛兒始廢，用手。楊太眞雅擅其妙。銅琴刳木作匣，拈銅為絲，敲以細竹，俗稱洋琴。顧箏、琶皆塞上樂，尋有庫倫之行，若為先聲焉。

庫倫奉使

庫倫奉使

乙巳二月，又准部文奉

上諭：麟慶著賞給二等侍衛，作爲庫倫辦事大臣，馳驛前往。欽此。尋又奉著即來京請訓之

旨，隨具清字摺，謝

恩。攷庫倫在張家口外，察哈爾明作插漢軍臺第四十四站瀚海之北，分東西二部，爲蒙古喀爾喀右翼游牧地及哲布尊丹巴胡土克圖駐劄處，又爲俄羅斯入京要道，北達恰克圖，爲安集延等回部，西洋英圭黎、荷蘭諸國互市所設。辦事大臣二，一由蒙古親藩

簡放率理藩院典屬司司員等駐東庫倫，掌閱邊防、平貿易、理訟獄、審丁册，並同定邊左副將軍、駐烏里雅蘇臺參贊大臣駐科布多主漢北外蒙古四路汗會盟事。土謝圖汗部二十旗為中路，盟所曰罕阿林。車臣汗部二十三旗為東路，盟所曰巴爾和屯。札薩克圖汗部十七旗為西路，盟所曰畢都里雅。賽音諾顏汗部二十旗，兼厄魯特二旗為北路，盟所曰齊爾里克。每部設札薩克理事。每會設正副盟長，三載一盟，將軍、大臣輪流賫

勅往蒞。其各部札薩克親王、郡王、貝勒、貝子、公、台吉等

見，皆膝行膜拜，平日亦如之，益以尊

朝廷之體制，而隆都護之威權也。麟慶猥以書生，起用邊帥，雖腿疾因督工受寒增劇，不敢言病，況承

命名，謹即渡河而北。斯時也，波恬竹箭，春暖桃花，余珥孔翠，擁靈纛，快黃流之復故，作瀚海之壯遊焉。爰紀以詩曰：巡行瀚海許乘軺，願以馳驅答

聖朝。敢道北門資寇準，竟同西域學班超。黃沙滿地霜威肅，白草連天日色驕。坐鎮從容無所事，輕裘緩帶侍中貂。

潛齋醫話匯訂

衛輝觀碣

衛輝觀碣

衛輝府在黃河北岸，乙巳三月三日渡河，宿延津縣。縣即古酸棗，漢時河決於此，遺跡猶存，沙岡綿亘。越日抵府城，施曉巖太守（名熙，浙江貢生。）相邀入署，便觀衛靈公隧道。（在宅門東）翌辰，陳冀子山長（名祖望，浙江布衣。）童春泉畫史（名源，浙江諸生。）送行出城，七里至北岡，望呂祖祠。祠為余官豫臬時代，陶雲汀先生重修，旁有桃李園，花初盛。又八里至殷太師比干廟，碧殿丹垣，古柏森鬱，其間豐碑林立，以魏文帝、唐太宗二祭文為最古。祠後為墓，前立石為戟門，中樹方

碑，刻殷比干墓四字，年深石泐墓字不全，題額曰
宣聖真筆。縣志謂，字體與周穆王時書吉日癸巳石刻相類，引以為據。或謂周無隸法，以故
夫子手書延陵季子之墓六字，收入淳化閣帖，即汝州帖所摹。本廟銅盤銘：左林右泉，後岡前道，萬世之藏，茲焉是寶十六字，均係大篆，與此不同，聚訟紛如。余恭讀
高宗聖製詩，有云：嗟哉斯人，遭殷之季。五畝佳城，千秋弗墜。夫子適周，載經柏隧。早許三仁，詎惟四字。大哉
王言，函蓋一切，正不必在片石上斷斷考據也。遂拜墓下，

觀無心草，獨莖三葉，中空有水。出廟遙望西山，琳宮雙峙，石磴盤空，疊翠流丹，天然畫境，詢知山名霖落，為魏安王雪宮故址。宋人詩云：崎嶇一徑叩禪扉，魏主離宮在翠微。即謂此爾。祇以路險期迫，不克登陟。尋北瞻洪澳，問猗猗之竹，已於漢瓠子宣房時伐盡下楗矣。

漢畫因緣圖訓

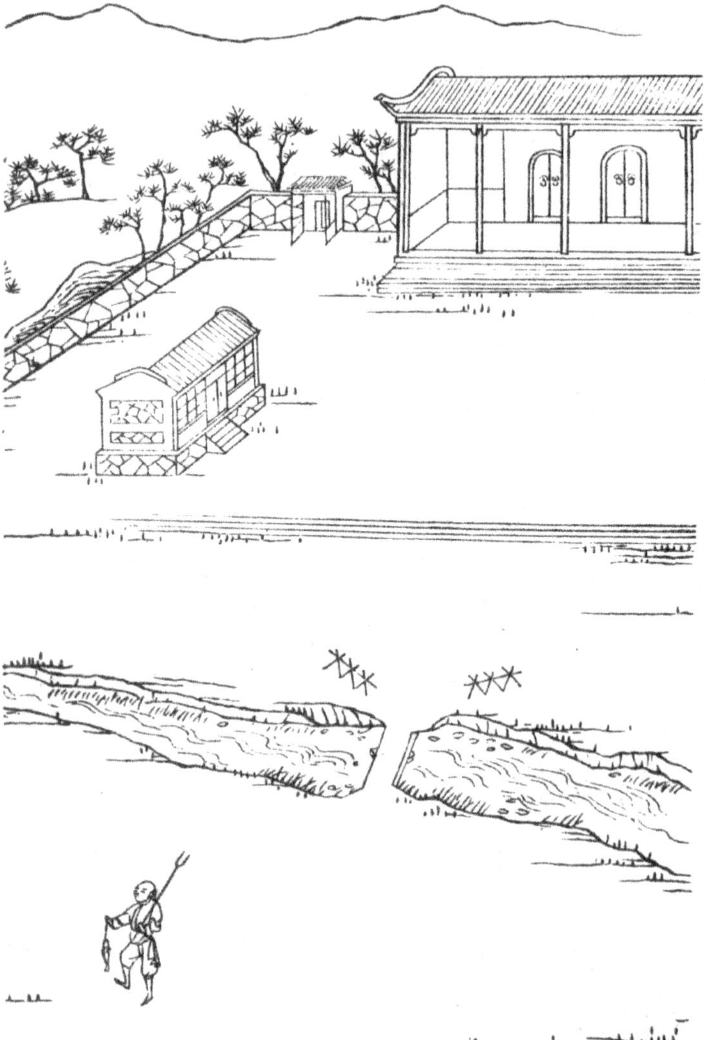

湯山坐泉

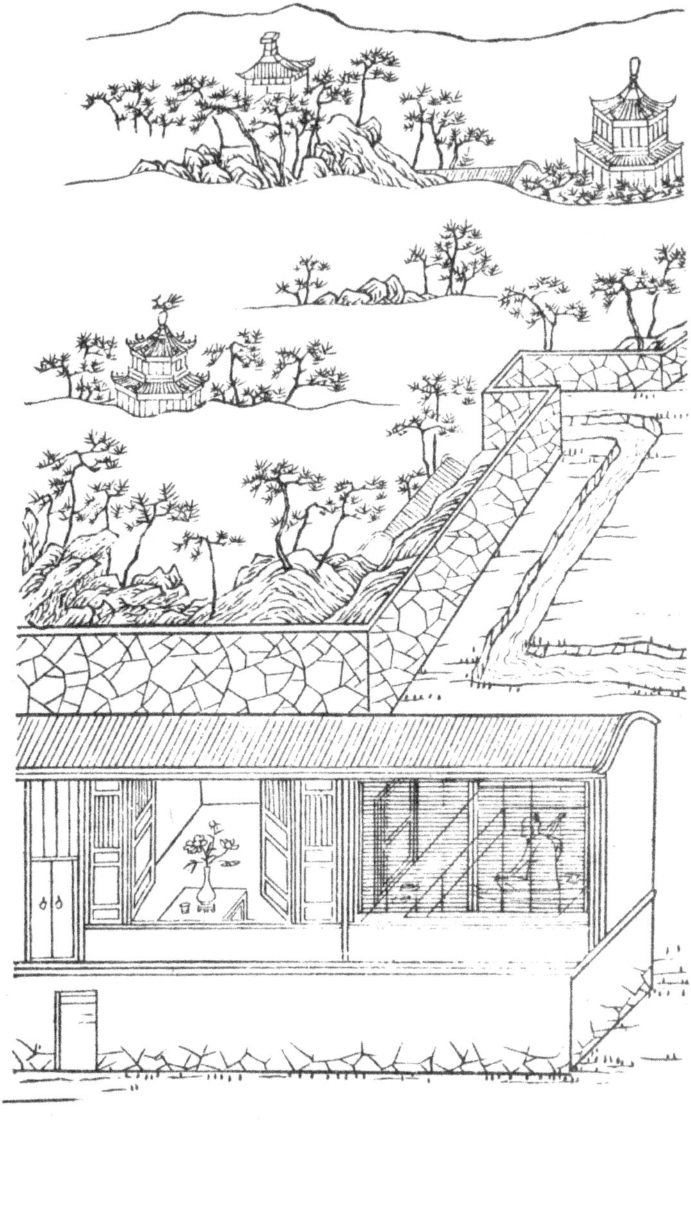

湯山坐泉

乙巳三月入都，二十一二等日，疊蒙

召見，垂詢腿疾。麟慶以精神尚能辦事對。

上諭：庫倫地方太冷，與汝病體不宜。謹即碰頭。隨奉

旨：庫倫辦事大臣麟慶召見時，察其精神尚好，惟腿疾尚未全愈，著開缺，安心調理，一俟調理就痊，即行遞摺請安。欽此。謹又恭紀以詩，得：臣志甘為投筆吏，

君恩許作暫閒人句。尋定郡王（名載銓，官宗令。）贈虎骨熊油膏，

恩錫錫三（名榮，滿洲，舉人。）以湯山坐泉勸，誦

高宗聖製詩：炎液暄波能愈疾，曾聞泉脈出流黃句為證。

坐泉云何，浴者以病體向泉穴受水之謂。余隨出
安定門，尖立水橋，至昌平州屬湯山。其東麓
行宮有温泉井、澡雪堂、漱瓊室、飛鳳亭、匯澤閣諸勝。
列聖均曾臨幸。扃鑰維嚴。垣外民廛，亦多鑿池受泉，覆以
密室，男女異處，各從其便。余臨李姓石池，解衣試
浴。有二穴，上為來源，下為去路。冷暖多寡，均以木
椿妙其用。因照坐泉法試之，泉自上而下，滌煩蕩
垢，與昔年在黃山硃砂泉無異。攷湯泉，宋硯北雜
志載，匡廬、汝水、尉氏、驪山、鳳翔、和州、渝州等七處。
明丹鉛總錄又載，有安寧、白厓、德勝關、浪穹、宜良、

鄧川、遵化、新田、臨川、崇仁等處。以驪山為最衡，安
寧為最潔，遵化為最熱。葢温泉所在，必有丹砂，流
黃為之根。黃山係硃砂泉，特僻在天都，人踪罕到，
此雖流黃，而近畿輔，得邀
睿賞，自當推為巨擘也。又泉中鱧魚甚鮮，荷開最早，以故
高宗聖製詩云：霞翦衣裳恰五銖，清和春色滿仙壺。温泉
浴罷嬌無力，扶起身邊有念奴。葢與芍藥同插膽
瓶云。

洄雪巨總圖

居庸把翠

居庸挹翠

余既承湯沐之

恩，將行，客曰：居庸、明陵，去此不遠，盍往觀乎。隨取道昌平州。遥望居庸關，雙巖疊翠，一徑盤空，上有麗譙，掩映雲際，詢名溝溝崖，明改峋峋，今俗稱關溝。中長四十五里，磈石磊砢，礓礫縱橫。前足所履，輒滾阻後趾，以故安車至此，須卸載脫輻，馱負而行。獨有所謂行行車者，短轅駕牛，厚輪載重，土人以一御十，永無傾覆。按此關為出口要驛，口外邊城沙磧，道阻且長，余以養疴得免庫倫之役，感戴特恩，實深肌髓。循山東折，問名天壽，前明十三陵在焉。

國朝順治九年，

敕諭有司，禁樵採，嚴守護。十六年，為明崇禎帝修建思陵，

命大學士金之俊撰文。雍正間，封明裔朱之漣為侯，世襲

承祀。乾隆五十年，

詔修明陵，發帑百萬。優禮勝朝，亘古未有，以視明天啟之斲斷金陵龍脈，其相去奚啻天壤哉。是以明陵至今仍得完整，而長陵最鉅。第一重為五鳳樓石坊，次黃琉璃門，三次神道碑亭一。後設華表六，石獅、石麟、石駝、石象、石犀、石馬二十有四，翁仲十有二，

櫺星門三，內溪河四道，各駕石橋，橋盡上坡，再轉始至陵門。繚垣明樓，規制如式。祾恩門殿尤為宏麗。寶城樹碑，高四丈，厚二尺五寸，髹以朱漆，色如渥丹，人多疑為昌化石。交龍蟠首，題曰大明成祖文皇帝之陵。觀畢而返，回顧關山凝紫，陵樹浮青，煙靄空濛，翠色尤覺可挹。比抵湯泉，日又暮矣。

豐臺賦芍

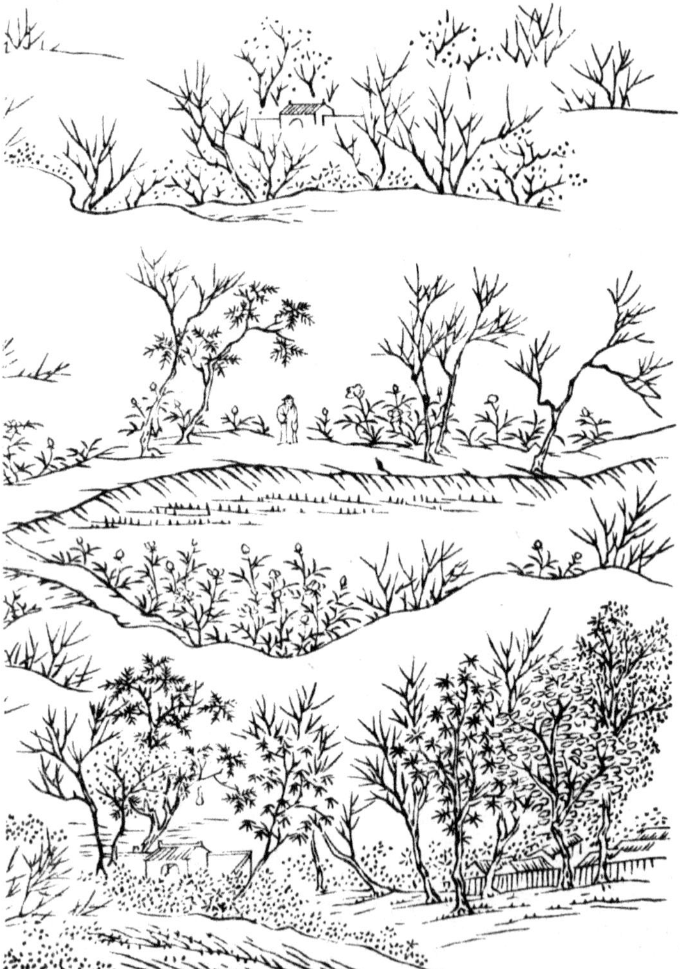

豐臺賦芍

豐臺在右安門外八里，前後十八村，泉甘土沃，養花最宜，故居民多以種花爲業，而花又以芍藥爲最。村中有花神廟二：一、花王爲春社所，一、花姑以賣酒名。惜塑工拙劣，恨不得西子湖竹素園妙像一堂易之。村東草橋普濟宫，祀碧霞元君，俗稱中頂。北有三官廟，即古花之寺。曾賓谷鹾使（名煥，江西，進士。）題額尚存。左爲尺五莊，別名小有餘芳，恒介石太守（名豫，滿洲，舉人。）丙舍。右頤園，鄰萬泉寺，誠樹堂都護（名端，滿洲，生員。）別墅。村西自張村至樊村，盡芍藥田，接畛連畦，開時爛如錦繡。但看花須趁清曉，遲則翦之出售矣。按芍藥載在毛詩，因有謔贈之辭，遂成趣品。唐陸龜蒙採藥賦序云：美人香草，比之君子定情屬思。又劉貢父、王通叟芍藥譜，載一百三品，有御衣黃、宮錦紅、試曉粧、聚香絲等名色，而以揚州金帶圍為最著。洪姬友蘭，揚州人也，通絲竹，工詩畫，侍余二載而亡，時已周歲矣。對花有感，因賦一律，曰：輕風片片雨絲絲，正是豐臺四月時。惱我韶光剛婪尾，恨他名字是將離。揚州自昔誇金帶，梁苑空傷倒玉卮。惆悵曼殊多歷劫，不堪重詠落花詩。玫曼殊豐臺賣花張翁女，名阿錢，美而慧，歸毛大可檢討，未幾，沒。自言爲芍藥花神。陳其年檢討爲文記事，並賦落花詩以弔之。

潜雪医纂汇言

了髻進香

丫髻進香

丫髻山在京城東北一百四十里懷柔縣境，雙峯高聳，狀如童角之丱。其西峯頂有天仙聖母碧霞元君廟，元明以來香火俱盛。我朝重修，寶殿千花，崇墉百雉，尤為壯麗。例以四月十八日致祭。乙巳屆期，內務府以拈香請，得旨：遣鎮國公載岱，欽此。時余腿疾未愈，兩兒崇實、崇厚，乞禱於山，笑允。偕行出東直門，宿小店，翌辰經沙嶺峪口，午至山下，覓輿登頂，遠近羣山盡皆拱伏。入門，鐘鼓二樓，對峙天半。左峯頂圓殿為

玉皇閣，康熙五十二年，臣民建以祝釐。有
聖製碑紀事。右峯頂方殿為
天仙宮，前樹白玉石坊，降輿右轉，兩兒扶掖而登，凡
歷三百六十餘級始至坊前。入坊，進香殿下，仰瞻
聖祖賜額曰敷錫廣生，
高宗賜額曰神霄朗照，
仁宗賜額曰功襄泰宇，
皇上賜額曰贊育顯昭。並詢知道光十六年春燬於火，
發帑重建。十七年工蕆，
恭慈皇太后親詣開光，臣民益深欽仰。禮畢，回至山門，欲

瞻圓殿，以足力弗勝而止。隨下山，宿東院，兩兒以
元君故實請。余答以：天地大德曰生，萬物非母不育，
震居東方，坤厚載物，
元君之奉，義取諸此。且萬物成于艮，艮東北之卦，艮
為山，山陰象。了髻山在都城東北，是以香火為諸
山冠。儒理不過如是。然以神道設教，非援仙經釋
典，不足覺世警愚。且供談資詩料，正不必拘執迂
腐之見也。再廟南另有一山，雙峯角起，較此少低，
無樹無廟，問何名，羽士曰：氣不憤。名雖俚而甚趣。

測雲器說匯言

天成訪醫

天成訪醫

盤山在京東薊州界，古名四正，一曰徐無，其稱田盤者，則以三國時田疇棲隱故。山有三盤，上盤以松勝，中盤以石勝，下盤以泉勝。山前挂月山莊，為先大母索綽羅太夫人、伯祖東村公（諱永寍，孝廉方正。）隱處。梅林舅祖（名觀榮，官監督。）曾屢招余遊，未果。茲有客自盤山來，侈言紅葉杏花之妙，中多高僧逸士，精通醫理，盍往一訪。顧各寺以險得幽，其近麓又幽奇者，厥惟天成。近日山松多被私伐，茲寺得僧寄禪護持獨茂，且無市井氣，可作東道主。余聞欣然往。尋山麓，穿果園，時杏已結實，桃李香殘，惟蘋婆林檎花未卸盡，淺白深紅，與綠樹青山相映發。行抵蓮花池，易肩輿而上。不三里，有飛甍出於樹杪，即寺門之樓。入寺，登天橋，坐樓上，見峯主翠屏，木蓮為輔，澗隣飛帛，溝水環迎，因山為殿，上下三重。前殿

仁宗賜額曰萬緣初地，後殿慎郡王（諱允禧，別號紫瓊道人。）題額曰化宇香城。按寺原名福善，後改天城，分上下兩寺。今下天城改天香，茲則易城為成，特建置無考。木蓮峯下有普化塔。普化，唐時僧，應在唐前無疑。翠

屏峯下有涓涓泉，右有舍利塔，高十三級。碑載遼天慶年修，明萬歷間，僧如芳刺血書經，七年成六部，募化重建，然亦未紀初立年月。再西為徹公塔，下即善蛇洞。峯左高處有梅仙厂，舅祖闢以習靜處，晚宿樓上，觀如芳血書涅槃經，又讀梅仙畫梅及故友張茶農（名深，江蘇解元，官知縣。）天成圖、松石歌，均夙結山緣者。留五日，得詩曰：雄秀毓鴻濛，山橫畿輔東。秋霜楓葉紫，春雨杏花紅。勝擅松泉石，盤分上下中。畫圖與詩稿，遊興正無窮。（其一）妙境本天成，山環儼若城。路迴峯側轉，石裂樹橫生。泉滴涓涓響，

濤飛謖謖聲。護持誰最力，爭説寄禪名。其二

雲罩登峯

雲罩登峯

雲罩寺在盤山絕頂，為上盤。其主峯曰自來，五臺中之北臺也。東有峯曰掛月，上建定光舍利塔，為極高處，屢廢屢興，傳有佛燈之異，前人詩多詠之，

列聖均經臨幸。寺本寶積禪師卓錫地，名降龍菴，明改雲罩寺，頒千葉寶蓮佛座。余宿天成，次日早起，尋雙橋至西甘澗，訪元道士王志謹石龕。又過東甘澗，觀蒲團石，廣八尺，面坦無棱。上有古松，翠雲覆蔭，名斗笠。遥望東北峯頂浮石舫，又近峯頂有石，以小戴大石上有孔，孔中有水，潦不溢，旱不涸，厥名

天井。再上為青溝嶺，康熙間，僧拙菴（法名智朴）初結茅於文殊洞，後搆青溝禪院，創修山志。與王漁洋、宋牧仲兩尚書，朱竹垞檢討為文字交。

聖祖來遊，智朴應制賦詩，

上悅，用韻和二首。勅建盤谷寺，後因法嗣不振，漸就頹廢，今則草深沒脛矣。再上為紫蓋峯，過峯踰澗，登十八盤至雲罩寺，參蓮座。過自來峯，見銅鐘挂大松上，勒成化年鑄，重二千斤字。罡風寒慄，乃加斗篷，乘肩輿，令土人簇擁以登。望鳳翔松，青翠飛舞。歷千餘級，始至松陰，憩無梁殿。倚塔四望，遼海邊城，蒼茫無際，塔則鈴振空中，影落塞外。尋回寺，僧呈降龍水精珠一圓，舍利七粒，辟支佛牙一具，或以為奇珍，或以為寶石、獏齒偽作。余謂信者固惑，闢者亦惑，姑誌之，以俟博物君子。旋下嶺，過將軍石，西至法藏寺，觀盤龍松，夭矯不羣，迺踰青峯嶺而歸。因續前作，紀之以詩曰：甘澗列東西，盤旋路欲迷。水聲時上下，樹影互高低。斗笠松堪戴，蒲團石可棲。青溝遺廢址，芳草正萋萋。其三

絕頂誇雲罩，儂今拾級來。絪緼元氣足，糺縵曉煙開。燈合輝孤塔，峯真低五臺。滄溟如可挹，身已到蓬萊。其四

瀟雲因緣圖詠

靜寄瞻樓

靜寄瞻樓

盤山之有
行宮，始自乾隆九年。擇地於山之陽，自玉石莊迤邐東達，周十餘里，壘繚垣以文石，隨山勢高下為紆直，引泉入內，山下設閘，以時啟閉。直廬環翼，正位向明，宮東有壽萱堂，為恭奉
孝聖皇太后憩息所，
高宗題總名曰靜寄山莊。蓋山以靜為體，人心以靜為主，
聖人主靜立極，寄意林泉，猶兢兢以此自持焉。又
御定園內八景，曰靜寄山莊，曰太古雲嵐，曰層巖飛翠，曰

清虛玉宇，曰鏡圓常照，曰衆音松吹，曰四面芙蓉，曰貞觀遺踪。續增六景，曰半天樓，曰池上居，曰農樂軒，曰雨花室，曰泠然閣，曰小普陀。顧設官守護，扃鑰維嚴，來遊者不得其門而入，周垣外瞻望而已。時同陳朗齋畫史由東而西，見佛圖仙館，隱現於林霏山色間，僅露一角。惟半天樓八牕洞開，無所虧蔽。朗齋曰：此地若得眺月，何快如之。會陰雲四合，卽歸寺。少焉，陣雨新霽，月出東山，擬再往，僧言：石湖有虎，夜遊須防。道人曰：不妨，有爆竹在。乃攜三枚燃之，山鳴谷應，轟響震天。比抵行宮西垣，覺山影淡而幽，泉聲喧而寂，半天樓碧瓦翻波，丹楹絢綵，直如三島蓬萊，可望而不可卽。旣而流雲如水，異彩成華，妙境奇逢，尤屬不可思議。再續前作，紀之以詩，曰：山莊題靜寄，仰見

至人心。妙契清虛宇，香霏功德林。芙蓉開四面，松檜吹千音。太古雲嵐結，紅塵那得侵。其五

樓作凌霄勢，飛甍出半天。雨來風自滿，雲淨月常圓。佛法參常照，仙機悟自然。剛逢三五夕，

宸賞憶當年。其六

晾甲酌泉

晾甲酌泉

晾甲石為下盤，在
行宮內，西偏千尺雪上，遊踪罕到。道人忽告：今午開西後門鋤草，可趁便一遊。余攜兩兒往，至門，吴丁引入，見石在南澗濱，色潤而質瑩，縱可五六尋，衡倍之。相傳唐太宗東征高麗，晾甲於此。旁倚巨崖，摩崖篆唐文皇晾甲石六字，甚古。後鐫
高宗聖製詩一章。其上層巒聳翠，刻
御題貞觀遺踪四字，飾以粉。中間蘿薜深處，刻盤泉二字，塗以朱。有泉自上飛下，跳珠噴玉。石以一凸凹分

為三，平坦處結六角石亭，欲盡處橫亘若檻，水至檻，勢益怒，潺湲下注，匯為池。上橫石橋，以便來往。宸遊作記，比之寒山千尺雪，遂以為名，并築宇泉上，雲牕霧寮，宛轉相屬。余行過，仍坐亭下，次兒崇厚以瓢酌泉，呼道人拾松枝，引火煮茗，飲甚清冽。大兒崇實，呈飯花糕，（雅名鋪地錦，花可煎食。）食甚甘美。襟懷既暢，酣卧石上。兩兒以有風，喚醒，流連久之。尋園丁出草畢，遂行。由蘿屏石轉至東垣，問千相寺，知西半已圍入墻內。考寺唐開元建，遼統和重修，傳有尊者攜杖遠至，求植足所。寺東北有泉，忽見千僧洗鉢，瞬息而滅，隨於石面盡刻佛相，故名千相。後有洞曰契眞，憨山大師遇隱士處。又搖動石，縱二丈，廣丈有五尺，承以碎石，一人推之則動，眾人推之不動，理莫可解。憶余在浙江海寧州尖山，亦曾一見，竟相類。因續前作，又紀以詩，曰：東征誰晾甲，遺跡說唐宗。泉石成眞賞，煙雲盪我胸。白飛千尺雪，青冷萬株松。瓢飲心堪洗，攜免興倍濃。其七 古寺傳唐代，輪囷巨石奇。如何搖且動，竟可轉而移。一法分千相，千鈞引一絲。海山曾遇此，妙悟少人知。其八

中盤紀石

中盤紀石

古中盤寺名正法禪院，後改慧因，在紫蓋、蓮花、毘盧三峯之間。紫蓋卽中臺，蓮花一名九華，卽東臺也。康熙初，蜀僧大博（法名行乾）飛錫至此，坐松棚下磐石說法，猛獸歸伏，衆信皈依，建寺開山。

聖祖來遊，賜詩，賜紫，書門外一峯額懸丈室焉。余遊晾甲石，次日取道少林，瞻多寶塔、菱角等石，由旁逕穿松陰，兩崖危聳，谽谺磈礧，上欲墮不墮，下欲仆不仆，或一二里一折，或十數步一折，逾轉逾高。至寺門，仰見古中盤三字，又萬象迴薄擘窠四大字，皆高宗聖書也。五松堂今存二松，磐石尚在，刻曰談禪。又有小搖動石，狀如桃，圍丈餘，在堂前。其探海、抱子、麫筋、壽星、天門、茅庵六石，均在諸峯上下，形神逼肖，盡列牕中，所謂中盤八石即此。陳朗齋見而呼奇，余指點倩為石寫照。兩兒推搖動石，活而不轉，與千相寺石又異。遙望嶕嶢峯，蒼翠卓立，石勢皆直裂至巔，峭屴不可狀。懸空石廣數尋，縱更倍蓰，綴絕壁間，大半浮出空外，見者惴惴。天門開在白猿洞上，兩峯對立，有摩崖字，徑五尺，署北海劉應節明尚書書。上方寺在其旁，徑仄路危，不敢以身試險。

明袁中郎宏道詩云：峯峯有活石，石石挾仙氣。眞覺先獲我心矣。因續前作，又紀以詩，曰：下盤遊甫畢，選勝到中盤。源水頭頭活，山容面面看。莊嚴尊紫蓋，花萼簇青巒。八石標奇致，茲山得大觀。其九

峯指嶕嶢起，幽奇屬上方。天門開軼蕩，鳥道辨微茫。客懍懸空石，猿驚選佛場。不教身試險，盤路暫迴翔。其十

劍臺品松

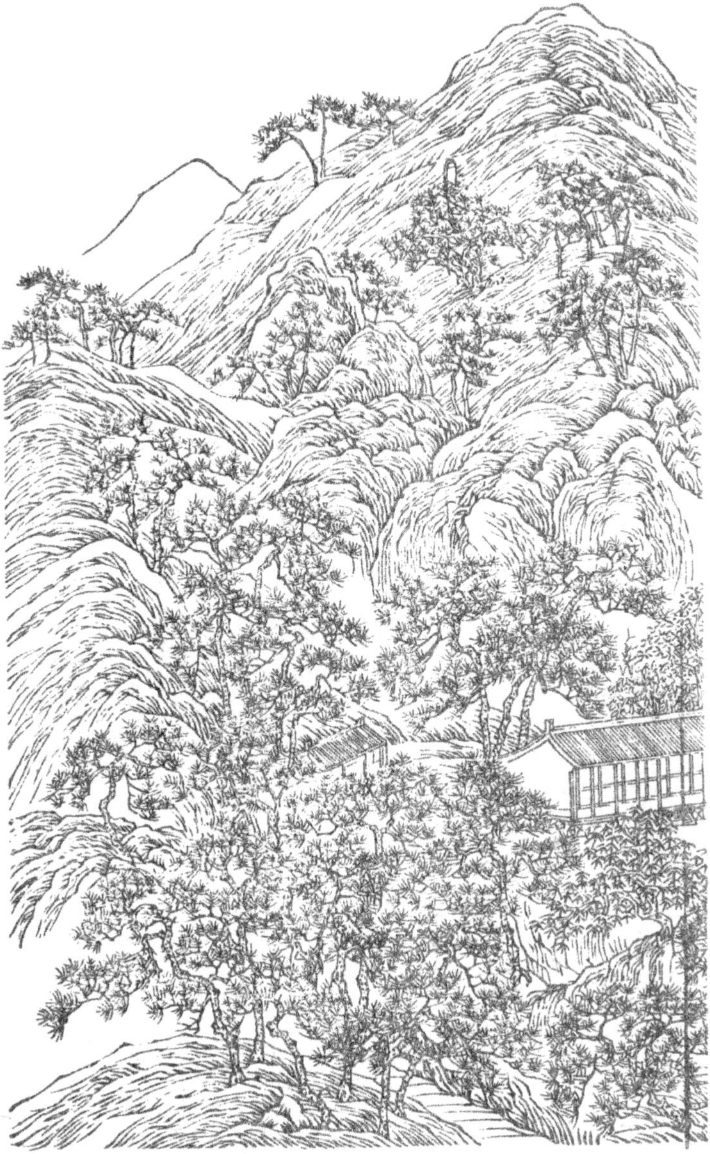

劍臺品松

舞劍臺，在萬松寺西峯頂，廣四丈，為唐李衛公舞劍處，五臺中之西臺也。摩崖刻明戚少保繼光詩曰：霜角一聲草木哀，雲頭對起石門開。朔風苦酒不成醉，落葉歸鴉無數來。但使雕戈銷殺氣，不妨白髮老邊才。勒名峯上吾誰與，故李將軍舞劍臺。下為浮青嶺，嶺下即寺，舊名衛公菴。

聖祖臨幸，勅改萬松寺。殿前有碑，施梅菴（名應麟）篆李藥師舞劍歌云：陟崇岡兮望四圍，口口閃口兮斷虹飛，嗟嗟三軍唱凱歸。繞山松以萬計，其奇絕者多生石罅，擁腫拳曲，勢不得伸，枝多旁抽，如怒龍之攫。其得坡陀土壤而生者，則大數十圍，鱗甲斑駁，或孤挺直上，或青葱垂下，故王辰玉（名衡）品盤山以松為最。劍臺東有雙松，名支離叟，李鐵君（名鍇，別號豸青山人，漢軍，筆帖式，曾舉鴻博。）品松又以此為最。余登臺見松下有一小株，高不盈尺，自戴斗瘿，連蜷蚪曲，眞龍孫也。天風浩浩，遥望長城一線，蜿蜒山半，紫塞白狼，極目千里，不勝英雄今昔之感。下至寺門，觀橐佗石，遇寄禪來，採得紫芝，持以相贈，遂同踰歡喜嶺，歸天成寺。問豸青山人隱處，在山陰獅豸峯下蘿村。

其夫人桓若（滿洲人）亦工詩，有偕夫子登山絕句云：扶持共登山，行行殊未已。待到最高峯，依然一平地。高風可想。以故田盤隱居，稱山南一區，謂伯祖東村公，山北一廬，即鐵君也。翌晨下山，望先師臺，峭立如削，其上砥平，有黄龍尊師殿，為南臺。至此五臺皆見矣。爰續前作，又紀以詩曰：鬱鬱萬松青，臺高敞翠屏。英雄曾舞劍，菩薩妙談經。虎到應知伏，龍來亦解聽。抗懷希往哲，半日為留停。其十一

養痾承
恩遇，田盤訪隱淪。峯南推桂月，山北漫尋春。是處茶煙

起，誰藏藥裹真。同朝簪履伴，到此幾何人。其十二

園居成趣

園居成趣

余之歸自盤山也，謝客習靜，日涉小園，邀胡岫桐，名世華，江蘇，職員。張雲生名遠霈，江蘇，廩貢。校閱舊書，以經史子集分類標籤，偕陳朗齋鑒別舊藏字畫。祇因承

恩優恤，不敢耽逸，爰訪以醫名於時之蘇其相院使，名鈺，順天人。姜春帆司馬，名士冠，江蘇，舉人。欒東岩御醫，名泰，直隸，生員。張仲遠大令，名曜孫，江蘇，舉人。薩銀槎理問，名濆，江蘇，貢生。診脈討源，而以徐芝亭孝子名中瑞，漢軍人。湯劑為最效，兼用李雲衢指揮名餘慶，湖北，廩生。易筋吐納，劉和庵醫士名文貴，吉林人。持鏡推摩之法，日起有功，且時扶雛奴肩尋

徑行，足力不隨，即踞石玩花數果，少休，又行，日以千五百步為率。時園中花果有海棠、蘋婆、石榴、核桃、棗、梨、柿、杏，并葡萄二架，一巨者在西南隅，旁倚方亭，前臨流水，小橋後植修竹，間以石坊，舊額瀟湘小影。余集禊帖為聯曰：寄興於山亭水曲，得趣在虛竹幽蘭。不數武，牆陰盡處，有亭如扇面式，顏曰小憩。題楹帖云：得三隅法，是一轉機。七月杪，綠陰成幄，紫實垂珠。偶攜幼女佛芸、保童孫嵩祝盤桓其下，會雨驟至，女乃束蓮殼作漁翁像，剝棗為磨，引孫嬉笑。又拂枰請弈，戲與之角，連負二局，眞所謂敗亦可喜爾。既而雨過虹見，雲日摩盪半霽半淫，橫亘連蜷，暈成蜀錦。女問雅名，舉詩云蝃蝀，騷歌掣貳，白虎通謂之天弓，清異錄稱曰氣母，告之。適老友恩楚湘餽鮮枇杷三。余在京祇嘗鮮荔，此果從未一覩。謹以其一薦諸

寢廟，其一持獻　貴雲西師，其一分啖女孫。按枇杷一名盧橘，以浙江塘棲、江蘇靈源為佳，余均曾飽食。葡萄則種出西域，漢張騫帶來都城，以公領孫為貴品，水足味甘，亦不讓枇杷也。

汪雲臣絲圖書

房山拜陵

房山拜陵

房山縣在京西。大防山延袤百里，有上方寺、孔水洞、紅螺嶮、小西天諸勝。正西雲峯山中曰連三鼎，金太祖睿陵、世宗興陵在焉。環列十峯，流合雙水。明天啟因遼東風水攸關，曾劚斷山脈以洩氣，摧毀陵廟以厭勝。我

太宗文皇帝於天聰三年征明入關，遣貝勒詣陵祭告。

國初定鼎，勅修，復禁樵採，設守陵五十戶，春秋致祭。

世祖、

聖祖，均御製文勒碑紀事。乾隆十八年，

高宗親至睿陵展謁，遣大學士阿克敦（滿洲，進士，卒謚文勤）祭興陵，
命金裔完顏氏子孫陪祀。時
先曾祖勉齋公官筆帖式，躬逢其盛，得邀
恩賚彭緞一端，荷包一對，計合族八旗五十九支，現任官
九十六員，俱從祀享殿下，隨同詣涿州
行在謝
恩。尋編輯八旗氏族通譜，完顏氏本列二十八卷，奉
高宗特旨，用虞賓義，列為第一，凡我金裔，仰戴
天恩，至優極渥。麟慶為世宗旁支二十四代孫，久切瞻依，
顧因職守攸羈，未克詣陵一拜。且聞山老林深，中

多虎穴，癸卯秋，遇僧裕泉於宏恩寺，快談路徑，惟老頭子（土人稱虎）須防。時以奉使期迫，不果往。茲於乙巳八月，率兩兒，偕裕泉，邀陵戶，攜竹片及火器，尋路詣陵，始伸夙願。乃叩拜甫畢，大風忽來，木葉簌簌有聲。陵戶呼曰：虎至。急登殿臺望之，遙見一羚羊竄過西嶺，一虎下飲於溪。陵戶曰：此守陵神虎也，不可驚。須臾，返風虎去。計余罷職三年，在京半載，快遊家山，尚缺西南一角，茲便道赴上方西峪一行，既幸得拜

祖陵，且更喜家山四面俱全矣。

漱雪匡編圖說

五福祭神

五福祭神

道光二十有五年，歲次乙巳，麟慶年五十五歲，蒙

恩家居調理腿疾。秋八月，風恙就痊，祇以腿弱，未敢請

安，而精神已復。並因兩兒崇實、崇厚連獲科第，長孫嵩

祝出痘平安，七月又舉第三孫，命名華祝，發願祭

神於宅内五福堂。其名五福者，則以官總督時，疊邀

御書福字之賜，彙摹其五，永逢嘉祥也。爰諏吉日，選犧

牲，前期命長媳造醴酒，打灑糕。届期在杆前供糕

酒，命長子崇實告祭。屋内西炕懸鑲紅雲緞黃幪，

黏紙錢三挂，前設紅棹，供糕十三盤，酒十三琖，香

三碟，免冠叩首。易酒三次，焚紙錢一，移南一香碟及第三糕盤於版上，請牲稱曰黑爺入，提耳灌酒，省之。避殺字取阿穆孫贊也供棹北，俟肉熟，奉俎以獻。首向上，振鸞刀插之，免冠叩首，撤幪受胙。夕祭設幪架於北炕，繫小黄幪，儀如朝祭。惟糕酒數各十一，請牲不取血膋，獻熟時息香，撤火，布幔遮牕，主婦叩首，謂之背鐙。呼燭後，撤幪，分胙。次早在杆前祭天，先置大銅海，設高棹，陳五碟，實以米鹽香水，一空，留貯阿穆孫，洗斗升舊骨於屋上，免冠叩首，撤米三次，請牲省之，盛血以盆，釁杆尖，脱衣，避剝皮字解節，俟肉熟，跪切細絲，盛以椀，配稗米飯同供，免冠叩首。取碟中物貯斗內，剔項骨，共貫於杆，立之轉俎分胙。午後，撂骨燎牲衣禮畢。余家舊有薩瑪，（譯言祝辭）今則樂設不作，其器有神箭、樺鈴、拍板、手鼓、腰鈴、三絃、琵琶、大鼓，凡八具。謹按滿洲所祀神，有畫像者，坤寧宮係佛菩薩、關帝、穆哩罕。又相傳祝詞所稱丹琿琿，即七星；鄂謨錫瑪瑪，即保嬰；尚錫，即田祖；紐歡台吉、武篤本貝子，皆有功德者。餘無攷，蓋自金天興以後，文獻無徵，世遠年湮，

國語惟憑口授，不能盡詳始末。考禮記，文王世子釋

奠於先師。鄭元註不能舉先師為誰，以周禮瞽宗為例，知古人於相傳祀典皆不妄實其人，故我
純廟修祭神祭天典禮，亦闕所不知，正合祭法，所謂有其舉之，莫敢廢也。至祝文鄂囉囉諸字，有聲無義，亦如漢樂府臨高臺之收中吾、有所思之妃呼豨爾。

退思夜讀

退思夜讀

退思齋在半畝園海棠吟社之南，後倚石山，有洞可出。前三楹面北，内一楹獨拓東牖，夏借石氣而涼，冬得晨光則暖。余之家居養痾也，自夏徂秋，每坐此讀名山志，以當卧遊，讀水經注，以資博覽。八月夜，篝燈展卷，忽聞有聲自西南來，心為之動。起視中庭，涼月初弦，玉繩低耿，回顧童子，垂頭而睡，與歐陽子賦境宛合。佇立移時，夜氣漸重，仍閉戶挑燈再讀。檢得漢諸葛武侯誡子書，讀至非澹泊無以明志，非寍静無以致遠句，憶少時壯志未除，

每謂天下事業功名悉成於動，豈澹靜二字所能該。迄今閱歷仕途三十餘年，始悟

國家立政，幾費籌畫，甫定章程，行之一二十年，人情已便，但覺相安，所以率由舊章，垂訓千古也。無如才高意廣者，好事紛更，一見施行，輒多格閡，不數年仍罷，而未罷之前，滋擾已受害不淺。殊不知大學靜而後能安之義。且濃於聲色，生虛怯病；濃於貨利，生貪饕病；濃於功業，生造作病；濃於名譽，生矯激病。故不澹不能明志，武侯具伊呂才，宗孔孟學，其平生得力處，盡此二語，允為後學津梁。彼世

俗以術數兵法稱、其奇能，是淺之乎論武侯，亦不善讀其書者。偶有所見，援筆記之。童子欠伸，報漏已傳丁矣，乃掩卷出退思齋，歸燕寢。

洞霄圖志卷首

煥文寫像

煥文寫像

賀煥文名世魁，順天大興人也。道光四年，因禧仲藩尚書（名恩，宗室）薦，恭繪
御容松涼夏健圖稱
旨，供奉如意館，加六品銜。又恭繪
皇太后聖容，拜蟒緞、荷包等賜。十年，逆回平，行獻俘禮，有
旨著賀世魁在午門樓上觀看繪圖。隨繪御前大臣太保大學士揚威將軍威勇公長齡（蒙古，生員，卒謚文襄）等五十二功臣像，
御題藏之紫光閣。尋又奉

勅繪平定回疆戰圖十幅，鏤以銅版，

頒賜大臣，麟慶拜領一分。由是世魁之名傾動京外，無不以得一畫為幸。且下筆有神，每圖不過時許，以視他名手，或半日，或一日方成者，又奚能仰對

殿陛森嚴之際哉。計供直凡十三年，以目疾引退。壬寅夏來遊淮浦，癸卯同舟北歸。閏七月，余承

命于役東河，煥文來送，邀陳朗齋同坐玲瓏池館流雲槎上。煥文起而言曰：在淮時，知君防堵治績，並聞每撫所藏明開平王寶劍自慨，茲鴻雪因緣第三集又將告成，請繪珥貂佩劍像為冠，一以表公之

忠赤，一以杍魁之別忱。遂立而執版傳神，頃刻圖就。余揖謝，詎逾年，煥文竟歸道山矣。朗齋傷良友之歿，請作繪像圖爲殿，以誌緣。此外前後以書畫從遊者，馬秋藥，名履泰，浙江，進士，官通政。張船山，名問陶，四川，進士，官知府。盛甫山，名惇大，江蘇，舉人，官內閣侍讀。邵百一，名勉順，天，生員。四先生，那長松侍衛，名斌，滿洲，拔貢。盛子履廣文，名大士，江蘇，舉人。廖裴舟，名雲槎，江蘇人。朱青立，名昂之，江蘇人。虞步青，名蟾，江蘇人。周豹臣，名廉，湖南人。李梅生，名育，江蘇人。五布衣，振之舅氏，名鐸，江蘇，職員。畹香外弟，名光業，順天，監生。六舟，江蘇，滄浪亭僧。醉琴，山東，大明湖，道士。一鐵筆則董小池，名洵，順天，貢生。黃楚橋，名圯，江蘇，布衣。程蘅衫，名荃，安徽諸生合併誌之。

道光庚子仲春

河帥長白麟公、駐節揚州、琦以門下士得見。後為阮太傅校緝詩書古訓、侍　公於學壽齋、詮次金石文字、攷證。　公曰、亦猶余之鴻雪因緣也。越七年、　公子樸山、地山孝廉重雕斯集、適與鳩工。其中紀

國恩、詢民俗、定方輿、辨物產、凡裨於掌故者、　公輒振筆直書之。琦世承清德、獨抱遺經、而瞻　公之風采、讀

公之文章、披　公之圖書、豈非事有前因緣以素定乎。

皇華勳業、每在馳驅、沂水宮牆、曾容私淑、敢抒景山之慕、聊申測海之忱。門下士儀徵畢光琦書後

漱玉民綴遺詞

右鴻雪因緣圖記，迺
先君自敘生平梗概，凡所閱歷，每事必製一記，每記即繪一圖，自髫年以迄終身，共成三集，計二百四十幀。初、二集脫稾於南河節署，門下士取付剞劂。時以圖帙縝密，未得鐫手，故祇刊記文，未刊圖畫，似不合圖記命名之義。第三集脫稾於家居之丙午，是年秋，
先君棄養，遂絕筆。嗚呼，
先君性好山水，宦轍所至，不廢登臨。隨於其時采訪風俗，修舉廢墜，雖大旨以紀遊為主，實非泛泛遊記比也。亦非汲汲欲

問世也。寓名鴻雪，厥意甚深。泣思

先君歷官中外三十餘年，凡集中所載倫常遭際，政事文章，與夫仙踪異蹟，説近神奇，而有因緣可證者，皆一生行藏之所在。疾革之際，尚抱全册披覽，恒撫今追昔，而寄慨焉。嗚呼，手澤猶存，音容宛在，實等承先志切，湮沒是虞。時有

先君幕客陳朗齋者，自京師歸揚州，以畫稾半出其手，爰囑覓匠江南，合初二三集圖記，重鋟閱兩寒暑而蕆事。嗚呼，

先君出處大畧，盡於茲編，今幸全集告成，謹述其顛末如是云。

道光二十九年歲在己酉秋七月男崇實厚敬識。